义务教育课程标准实验教科书

物　理

WULI

八年级　上册

课程教材研究所
物理课程教材研究开发中心　编著

人民教育出版社

义务教育课程标准实验教科书
物　理
八年级　上册
课程教材研究所
物理课程教材研究开发中心　编著
*
人民教育出版社　出版发行
网址：http://www.pep.com.cn
北京市大天乐印刷有限责任公司印装　全国新华书店经销
*
开本：787毫米×1 092毫米　1/16　印张：7.75　字数：145 000
2006年3月第3版　2010年5月第18次印刷
ISBN 978-7-107-14620-6
G·7710（课）　定价：7.70元

如发现印、装质量问题，影响阅读，请与本社出版科联系调换。
（联系地址：北京市海淀区中关村南大街17号院1号楼　邮编：100081）

目录

致同学们……1
科学之旅……2

有趣的声
第一章 声现象……11
一、声音的产生与传播……12
二、我们怎样听到声音……16
三、声音的特性……19
四、噪声的危害和控制……25
五、声的利用……28

色彩斑斓的光现象
第二章 光现象……33
一、光的传播……34
二、光的反射……38
三、平面镜成像……42
四、光的折射……47
五、光的色散……51
六、看不见的光……54

第三章 透镜及其应用……59
一、透镜……60
二、生活中的透镜……62
三、探究凸透镜成像的规律……66
四、眼睛和眼镜……68
五、显微镜和望远镜……71

形态各异的物质世界
第四章 物态变化……75
一、温度计……76
二、熔化和凝固……81
三、汽化和液化……85
四、升华和凝华……92

功勋卓著的电与磁
第五章 电流和电路……97
一、电荷……98
二、电流和电路……101
三、串联和并联……106
四、电流的强弱……110
五、探究串、并联电路的电流规律……113

索引……118

致同学们

同学们，从现在开始，这本书将成为你的好朋友。

本书是按照教育部2001年颁布的《九年义务教育物理课程标准》编写的，它倡导探究式的学习，强调科学与实际、科学与社会的联系。因此，我们又给这本书取了一个名字：

《探索物理》

为了便于同学们对物理知识海洋的探索，《探索物理》设计了以下栏目。

探究　同学们自己动手、动脑探究科学规律，体会科学研究的方法。

演示　由教师向你们展示一些物理现象。

想想做做、想想议议　课堂中的一些学习活动。

STS　STS是科学·技术·社会(Science-Technology-Society)的简称，介绍、探讨科学技术与社会之间相互关联的问题。

科学世界　有关科学知识的扩展性内容。

动手动脑学物理　课内或课后的学习活动，有问题讨论、练习、实验、社会实践以及小论文写作等。

设置这些栏目的目的，是希望同学们在参观、认识物理世界这个广阔、绚丽的科学殿堂时，学到科学知识，体验、领悟科学的方法，逐步树立科学的价值观。

要学好物理，就要认真做实验，敢于动手、勤于动手；要多动脑，对实验中看到的现象、书本上讲的道理，要想一想为什么，自己想不通就看看别的书刊，问问别人，当时想不通的就记在心里，今后学习的时候再寻找答案；还要与实际、与社会相联系，试着用科学知识解释看到的现象，在日常生活中找到所学知识的应用，想一想科学技术给我们的社会带来了哪些好处，引起了什么问题，应该怎样解决。

祝同学们在新的学期里取得更大的成绩。

科学之旅

沙滩上，和煦的阳光下，一个孩子在无忧无虑地玩耍。他时而凝望大海，时而低下头去在沙滩上捡着什么。忽然他向旁边跑去，拾起了一块光滑的卵石；忽然他又向另一处跑去，捡起了一枚漂亮的贝壳 …… 孩子在沙滩上跳着、跑着，一会儿为发现了美丽的贝壳而欣喜若狂，一会儿又为拾到的石子不那么奇特而懊恼、沮丧。沙滩上留下了孩子一串串的脚印。

孩子捧着五颜六色的卵石和漂亮的贝壳，向远处的大海望去，心里在想，这波涛汹涌的大海里蕴藏着怎样一个世界呢？也许海底的石子更漂亮，也许 ……

是呀，大海究竟是怎样一个世界？这需要我们去发现。物理学是个知识的海洋，它更需要我们去探索。在对知识海洋的探索中，我们不是正像上面的孩子一样吗？我们发现了漂亮的卵石和贝壳，并且为此而欢欣鼓舞，我们更渴望探知波涛汹涌的大海！让我们扬起理想的风帆，乘上《探索物理》这叶小舟，开始我们既充满乐趣又不乏艰辛的科学之旅吧！

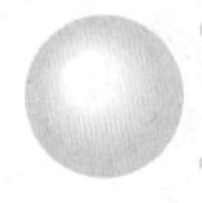

有趣有用的物理

物理学(physics)是一门十分有趣的科学。它研究声、光、热、电、力等形形色色的物理现象。让我们先观察几个有趣的实验，感受一下其中的奥妙。

演示

1. 水沸腾后把烧瓶从火焰上拿开，水会停止沸腾。迅速塞上瓶塞，把烧瓶倒置并向瓶底浇冷水，如图0.1–1。

2. 用硬纸片把一个喇叭糊起来，做成一个“舞台”。台上一个小人在音乐声中翩翩起舞，如图0.1–2。

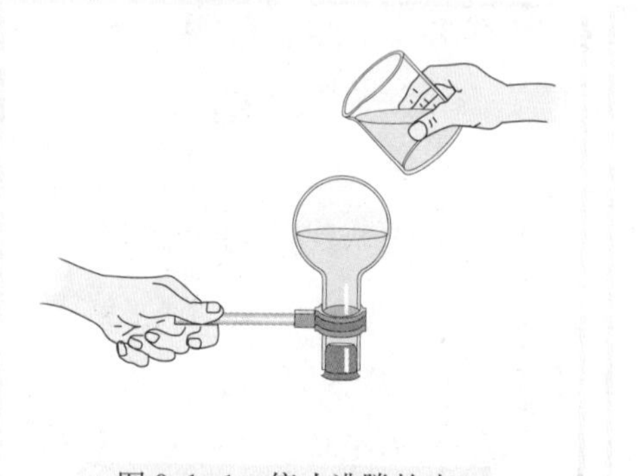

图 0.1–1 停止沸腾的水，浇上冷水后会怎样？

图 0.1–2 会跳舞的小人

上面的演示有趣吗？让我们亲自做几个有趣的小实验吧。

1. 用放大镜看自己的指纹，再用放大镜看窗外的物体。

甲　　乙

图0.1–3 隔着放大镜看，物体总是放大的吗？

2．如图0.1–4，在倒置的漏斗里放一个乒乓球，用手指托住乒乓球。然后从漏斗口向下用力吹气，并将手指移开。乒乓球会下落吗？

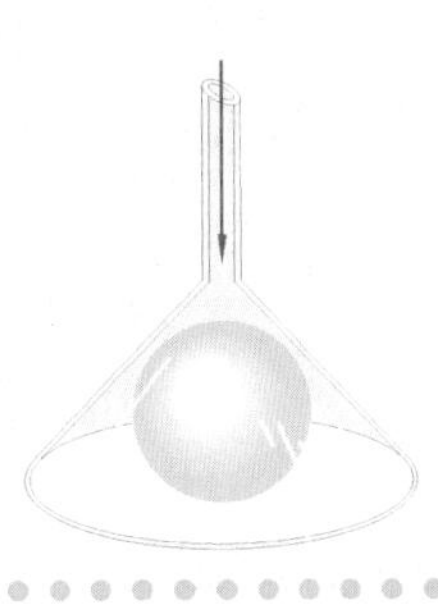
图0.1–4 乒乓球会下落吗？

这些现象不仅有趣，而且都包含一定的科学道理。随着学习的深入，我们会逐渐弄清其中的奥秘。

物理学不仅有趣而且非常有用。比如，我们的生活越来越离不开“电”，从电灯和琳琅满目的家用电器到电子计算机，都要用电。又如，300多年前，英国物理学家牛顿(I.Newton，1643—1727)在实验时发现，白光可以分解成不同颜色的光。没有这一发现，我们就无法解释天空为什么是蓝色的，落日为什么是红色的，彩虹是怎样形成的，也不可能制出彩色电视机。牛顿常对人们习以为常的现象进行不懈的思考和探究，并由此发现了支配宇宙万物运动的物理规律。

图0.1–5 牛顿的猜想对吗？
牛顿猜想：拉住月球使它不能逃离的力，跟拉着物体使它落向地面的力，也许是同一种力？

图0.1–6 上面的猜想促使牛顿发现了万有引力定律，这样才有了今天的通信卫星。

假若没有发现万有引力定律，今天的人造卫星、载人飞船都不可能成为现实。除夕夜，世界各地的华人也就不能同时观看春节节目了。

怎样学习物理

勤于观察，勤于动手。物理学是一门以观察、实验为基础的科学，人们的许多物理知识是通过观察和实验，经过认真的思索而总结出来的。

观察，必须是有目的的，不然，很多常见的现象你都会“视而不见”。

图0.1-7 骑自行车上坡时，要想省力，后轴的齿轮应该换用较小的还是较大的？

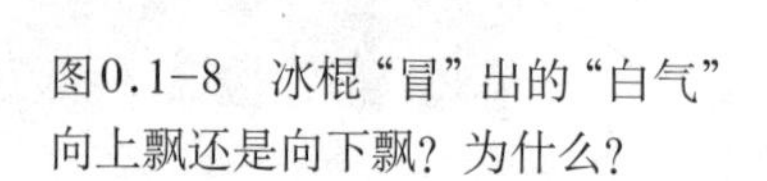

图0.1-8 冰棍“冒”出的“白气”向上飘还是向下飘？为什么？

要学好物理，一定要动手，多做实验。

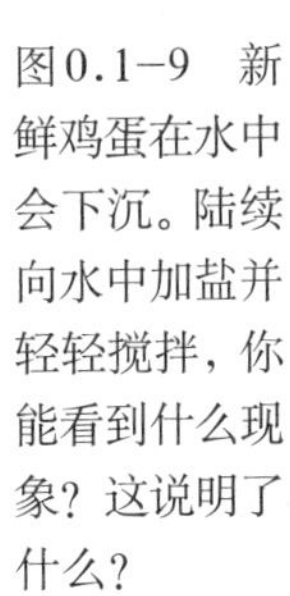
图0.1–9 新鲜鸡蛋在水中会下沉。陆续向水中加盐并轻轻搅拌，你能看到什么现象？这说明了什么？

图0.1–10 用开水把杯子烫热，立即扣在气球上，气球能把杯子“吸”住。这说明了什么？

勤于思考，重在理解。观察、实验、看书、听课，都要多动脑子，勤于思考。对于科学知识不应满足于背诵条文，要力求理解；应该养成爱问“为什么”的习惯，用疑问的眼光看待各种现象，探究我们不知道的自然现象和规律。

联系实际，联系社会。物理知识是从实际中来的，又要应用到实际中去，读过前面的课文，做过前面的实验，你大概已经有了体会。在物理课的学习中，还不能忘记思考科学技术与社会的关系。没有物理学等科学与技术的成就，能有我们今天的生活吗？不恰当地使用科技成果是不是也会给我们的生活带来麻烦？怎样解决？在今后的学习中，我们会不断地提醒同学们，一起认真思考这个问题。

图0.1–11 压缩石油气的体积可以使它液化。液化石油气(LPG) 是一种清洁燃料，使用这种燃料的汽车，排出的尾气污染较小。目前北京是世界上使用液化石油气和压缩天然气(CNG) 公交车最多的城市。

伽利略对摆动的探究

意大利科学家伽利略(1564—1642)是物理学的伟大先驱。他在比萨大学读书时对摆动规律的研究，是他第一个重要的科学发现。某个星期天，伽利略在比萨大教堂参加活动。教堂穹顶上挂着的吊灯因为风吹而不停地摆动。伽利略被摆动的节奏吸引住了。因为，尽管吊灯的摆动幅度越来越小，但每一次摆动的时间似乎相等。

图 0.1-12 年轻的伽利略在想什么?

他决定仔细地观察。他知道脉搏的跳动是有规律的，于是便按着脉注视着灯的摆动，发现每往返摆动一次的时间完全相同。这使他又冒出一个疑问：假如吊灯受到强风吹动，摆得高了一些，每次摆动的时间还是一样的吗?回到宿舍后，他用铁块制成一个摆，把铁块拉到不同高度，用脉搏细心地测定摆动所用的时间。结果表明，每次摆动的时间仍然相同。尽管用脉搏测量时间并不精确，但已经可以证明他最初的想法是正确的，即“不论摆动的幅度大些还是小些，完成一次摆动的时间是一样的”。这在物理学中叫做“摆的等时性原理”。各种机械摆钟都是根据这个原理制作的。

后来，伽利略又把不同质量的铁块系在绳端作摆锤进行实验。他发现，只要用同一条摆绳，摆动一次的时间并不受摆锤质量的影响。随后伽利略又想，如果将绳缩短，会不会摆动得快些?于是他用相同的摆锤，用不同的绳长做实验，结果证明他的推测是对的。他当时得出了结论：“摆绳越长,往复摆动一次的时间(称为周期)就越长”。

人们对摆动的研究是逐步深入的。伽利略逝世30多年后，荷兰物理学家惠更斯找到了摆的周期与摆长间准确的数学关系。直到牛顿发现了万有引力定律，才对摆动的规律作出了圆满解释。

阅读了以上这段材料后，讨论下面几个问题。

1.伽利略怎样**观察**吊灯的摆动，并发现了值得注意的现象？

2.伽利略在观察中提出了什么**疑问**？对于这些疑问作出了什么**猜想**？

3.伽利略怎样设法**证实**自己的猜想？

4.伽利略对摆动规律的探究经历了怎样的历程？这说明了什么？

我们已经看到：学习物理，要用自己的眼睛仔细观察周围的世界，从中发现问题，提出假设，甚至是异想天开的猜想；要善于动手，只有实践，才能证明猜想或假设是否正确，也才能最终发现事物发展变化的规律。一代又一代的物理学家，为追寻科学问题的答案锲而不舍。直到今天，人们仍在探究新的未知世界。

什么是科学之旅？科学之旅就是人类永无止境的探究历程。伟大的物理学先驱牛顿有一段名言值得我们回味：

> 我不知道世界会怎样看待我，然而我认为自己不过像在海滩上玩耍的男孩，不时地寻找比较光滑的卵石或比较漂亮的贝壳，以此为乐，而我面前，则是一片尚待发现的真理的大海。

有趣的声

第一章　声现象

在非洲干旱炎热的草原上，万籁俱寂。一群大象慢慢地向前走，小象在母亲旁边听话地跟着。这群象要去哪里？也许，它们发现了水源，或者可口的食物。象群的行进速度虽然缓慢，但方向是确定的。忽然，不知什么原因，象群停住了。一些象竖起鼻子站在那儿，另一些则左顾右盼犹豫着。但是很快，它们又继续前进了，不过这次它们改变了方向。

也许你会问：“这又不是生物课，怎么让我们读大象的故事？”“这些大象的活动是在无声无息中进行的，这与声有什么关系？” 实际上，大象可以用我们人类听不到的“声音”进行交流。

现在我们就来学习这看似简单，但又有许多奥秘的声。学过有趣的声后你就会知道，什么是声，声是怎么产生的，它是如何传播的。当然，你也会明白人类为什么听不到大象之间进行交流的“声音”了。

阅读指导

学过本章以后，你就会明白以下问题。

一、声音的产生与传播

声音是如何产生和传播的？声音的速度有多大？

二、我们怎样听到声音

人耳是怎样听到声音的？什么是立体声？

三、声音的特性

音调、响度、音色与什么有关系？

四、噪声的危害和控制

噪声有什么危害？如何防止噪声的侵害？

五、声的利用

声是如何传递信息的？声是如何传递能量的？

一 声音的产生与传播

图1.1-1 物体发声时有什么共同的特征?

声的产生

婴儿从呱呱坠地的那时起，就无时无刻不在与**声(sound)**打交道。上面图中各是什么物体在发声？你知道物体发声时的共同特征吗？

探究

声是怎样产生的?

做各种活动，使物体发声。

观察、思考、总结物体发声时的共同特征。

声是由物体的**振动**(**vibration**)产生的：说话时声带在振动；敲鼓时鼓面在振动；风吹树叶哗哗响，树叶在振动。

物体振动发声的现象真是太多了，你能向同学们说出一些比较新奇的发声现象吗？例如，蝉(图1.1–2)是怎样发声的？

图1.1–2　蝉

振动可以发声。如果将发声的振动记录下来，需要时再让物体按照记录下来的振动规律去振动，就会产生与原来一样的声音，这样就可以将声音保存下来。图1.1–3是早期机械唱片表面的放大图。从图片上可以看到，唱片上有一圈圈不规则的沟槽。当唱片转动时，唱针随着划过的沟槽振动，这样就把记录的声音重现出来。随着技术的进步，人们还发明了用磁带和激光唱盘记录声音的方法。

图1.1–3　唱片上记录声音的沟槽

声音的传播

声音怎样向远处传播？

探究

声怎样从发声的物体传播到远处？

●提出问题

声要传播出去，可能需要什么东西来作媒介。

●猜想

用一张桌子做实验。一个同学轻敲桌底(使附近的同学不能直接听到敲击声)，另一个同学把耳朵贴在桌面上。由实验能得出什么结论？

●进行实验

声的传播需要物质，物理学中把这样的物质叫做**介质**(**medium**)。

但是有时候好像没有介质也能听到声音。比如雷声，似乎没有什么东西把它传递来呀。雷声的传播不需要介质吗？

演示

如图1.1－4，把正在响铃的闹钟放在玻璃罩内，逐渐抽出其中的空气，注意声音的变化。

再让空气逐渐进入玻璃罩内，注意声音的变化。

图1.1–4 真空罩中的闹钟

图1.1–5 月球上没有空气，宇航员只能通过无线电交谈(示意图)。

空气也是传声的介质。如果云和我们的耳朵之间是真空，大家就听不到雷声了。我们周围充满了空气，空气为人类、动物传递信息提供了便利条件。想一想，地球上的动物大多具有听觉，是否与此相关？

声在空气中怎样传播呢？以击鼓为例(图1.1-6)：鼓面向左振动时压缩左侧的空气，使得这部分空气变密；鼓面向右振动时，又会使左侧的空气变稀疏。鼓面不断左右振动，空气中就形成了疏密相间的波动，向远处传播。这个过程跟水波的传播相似。用一支铅笔不断轻点水面，水面就会形成一圈一圈的水波，不断向远处传播。因此，声以波的形式传播着，我们把它叫做**声波**(**sound wave**)。

图1.1-6　空气的疏密部分的传播形成声波

想想议议

我们已经知道固体和气体都可以传声。那么，声能在液体中传播吗？你能找出事实或做实验来支持你的说法吗？

声速

对着高墙或山崖喊话，要过一会儿才能听到回声，这说明声的传播需要一定的时间。声传播的快慢用声速描述，它的大小等于声在每秒内传播的距离。声速的大小跟介质的种类有关，还跟介质的温度有关。15 °C时空气中的声速是340 m/s[①]。

小资料

一些介质中的声速 $v/(\mathrm{m\cdot s^{-1}})$

介质	声速	介质	声速
空气(0 °C)	331	海水(25 °C)	1 531
空气(15 °C)	340	冰	3 230
空气(25 °C)	346	铜(棒)	3 750
软木	500	大理石	3 810
煤油(25 °C)	1 324	铝(棒)	5 000
水(常温)	1 500	铁(棒)	5 200

① m是长度单位，读做米；s是时间单位，读做秒；m/s也可写做$\mathrm{m\cdot s^{-1}}$，是速度单位，读做米每秒。

全班同学分成若干小组，每组想出一个测量声速的方法，并实际测量。通过评估看看哪个组的方法更合适，测得的声速更接近当时的真实值。

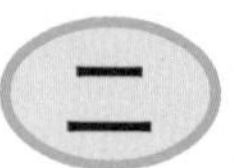

动手动脑学物理

1. 我们知道声是由振动的物体发出的。但有的时候，比如敲桌子时，我们能听到声音，却看不见桌子的振动。你能想办法证明桌子发声时也在振动吗?

2. 北京到上海的距离约为1 000 km。假设声音在空气中能够传得这么远，那么从北京传到上海需要多长时间？火车从北京到上海需要多长时间？大型喷气式客机呢？自己查找所需的数据，进行估算。

3. 将耳朵贴在长铁管的一端，让另外一个人敲一下铁管的另一端，你会听到几个敲打的声音？亲自试一试，并说出其中的道理。

4. 声音遇到障碍物能向相反方向传播。一个同学向一口枯井的井底大喊一声，经过1.5 s听到回声，那么这口枯井的深度大约是多少米？（声速按340 m/s计算）

5. 声音在不同物质中传播的速度大小不同。根据小资料知道：多数情况下，声音在气体中的速度比在液体中____，在固体中的速度比在液体中____，声音在空气中传播的速度受______影响。

二 我们怎样听到声音

人耳的构造

人靠耳朵听声音，那么耳朵通过什么途径感知声音呢？

生物课上大家已经知道人们感知声音的基本过程，即外界传来的声音引起鼓膜振动，这种振动经过听小骨及其他组织传给听觉神经，听觉神经把信号传给大脑，这样人就听到了声音(图1.2−1)。

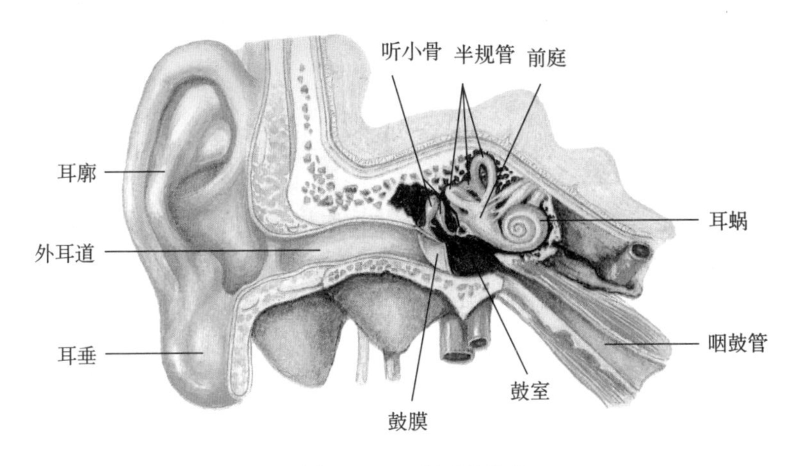

图 1.2–1 人耳的构造

在声音传递给大脑的整个过程中，任何部分发生障碍(例如鼓膜、听小骨或听觉神经损坏)，人都会失去听觉。但是如果只是传导障碍，而又能够想办法通过其他途径将振动传递给听觉神经，人也能够感知声音。

想想做做

1. 将振动的音叉放在耳朵附近，听音叉的声音。

2. 用手指将耳朵堵住，再听音叉的声音。

3. 请同学用手指将自己的耳朵堵住，把振动的音叉的尾部先后抵在前额、耳后的骨头和牙齿上，看看能否听到音叉的声音。

讨论：在这几种情况下，人是如何听到声音的？

骨传声

声音通过头骨、颌骨也能传到听觉神经，引起听觉。科学中把声音的这种传导方式叫做骨传导。一些失去听觉的人可以利用骨传导来听声音。据说，音乐家贝多芬耳聋后，就是用牙咬住木棒的一端，另一端顶在钢琴上来听自己演奏的琴声，从而继续进行创作的。

图 1.2–2 用牙齿听声

科学世界

双耳效应

眼睛常用来确定发声物体的位置，但如果你将双眼蒙上，也能大致确定发声体的方位，这是为什么？这是因为人有两只耳朵，而不是一只。声源到两只耳朵的距离一般不同，声音传到两只耳朵的时刻、强弱及其他特征也就不同。这些差异就是判断声源方向的重要基础。这就是双耳效应。

图 1.2–3 立体声

正是由于双耳效应，人们可以准确地判断声音传来的方位，所以说，我们听到的声音是立体的。但是如果只用一个话筒将舞台上的声音放大后播放出来，我们听到的就不再是立体的声音。要想重现舞台上的立体声，使我们有身临其境的感觉，可以把两只话筒放在左右不同的位置(相当于人的两只耳朵)，用两条线路分别放大两路声音信号，然后通过左右两个扬声器播放出来。这样，我们就会感到不同的声音是从不同的位置传来的，这就是常说的双声道立体声(图1.2–3)。

如果想得到更好的立体声音的效果，可以在声源的四周多放几只话筒，在听众的四周对应地多放几只扬声器，这样听众就会感到声音来自四面八方，立体效果就更好。

动手动脑学物理

1. 许多立体声收音机有“STEREO–MONO”开关(图1.2–4)。开关处于STEREO位置时放出的声音和电台播出的一样，是立体声；而处于MONO位置时收音机把两个声道的信号合成一个声道，没有立体声的效果。

图 1.2–4 立体声收音机上的STEREO–MONO开关

找一台立体声收音机，试一试这个开关的作用(使用耳机效果更明显)。向有经验的人请教：既然立体声更为逼真，为什么还要设置这样的开关?

2.阅读助听器的说明书或查找其他资料，了解助听器的工作原理和主要的性能指标。

留心观察或向成年人了解近年来助听器的普及情况，试着找一找产生这种变化的原因。

三　声音的特性

音调

我们接触到的声音各种各样，有的听起来**音调**(**pitch**)高，有的听起来音调低。声音为什么会有音调高低的不同？什么因素决定音调的高低?

演示

如图1.3－1所示，将一把钢尺紧按在桌面上，一端伸出桌边。拨动钢尺，听它振动发出的声音，同时注意钢尺振动的快慢。改变钢尺伸出桌边的长度，再次拨动。注意使钢尺两次的振动幅度大致相同。

比较两种情况下钢尺振动的快慢和发声的音调。

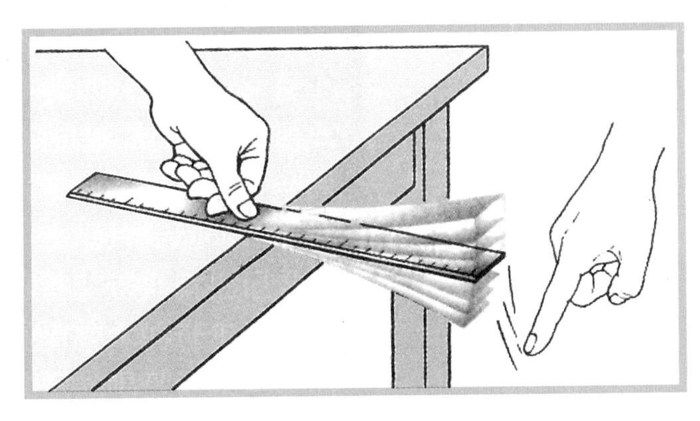

图1.3－1　探究音调和频率的关系

物体振动得快，发出的音调就高，振动得慢，发出的音调就低。可见发声体振动的快慢是一个很重要的物理量，它决定着音调的高低。物理学中用每秒内振动的次数——**频率**(**frequency**)来描述物体振动的快慢，频率决定声音的音调。频率的单位为**赫兹**(**hertz**)，简称**赫**，符号为Hz。物体在1 s的时间里如果振动100次，频率就是100 Hz。

人能感受的声音频率有一定的范围。大多数人能够听到的频率范围从20 Hz到20 000 Hz。人们把高于20 000 Hz的声音叫做**超声波**(**supersonic wave**)，因为它们已超过人类听觉的上限；把低于20 Hz的声音叫做**次声波**(**infrasonic wave**)，因为它们已低于人类听觉的下限。

动物的听觉范围通常和人不同。一些动物对高频声波反应灵敏。或许你曾经注意过，有时在你认为很静、没有任何声音时，猫却突然表现得非常警觉。猫能够听到的频率范围是60～65 000 Hz，狗能够听到的频率范围是15～50 000 Hz，海豚能听到声音的上限是150 000 Hz。

小资料

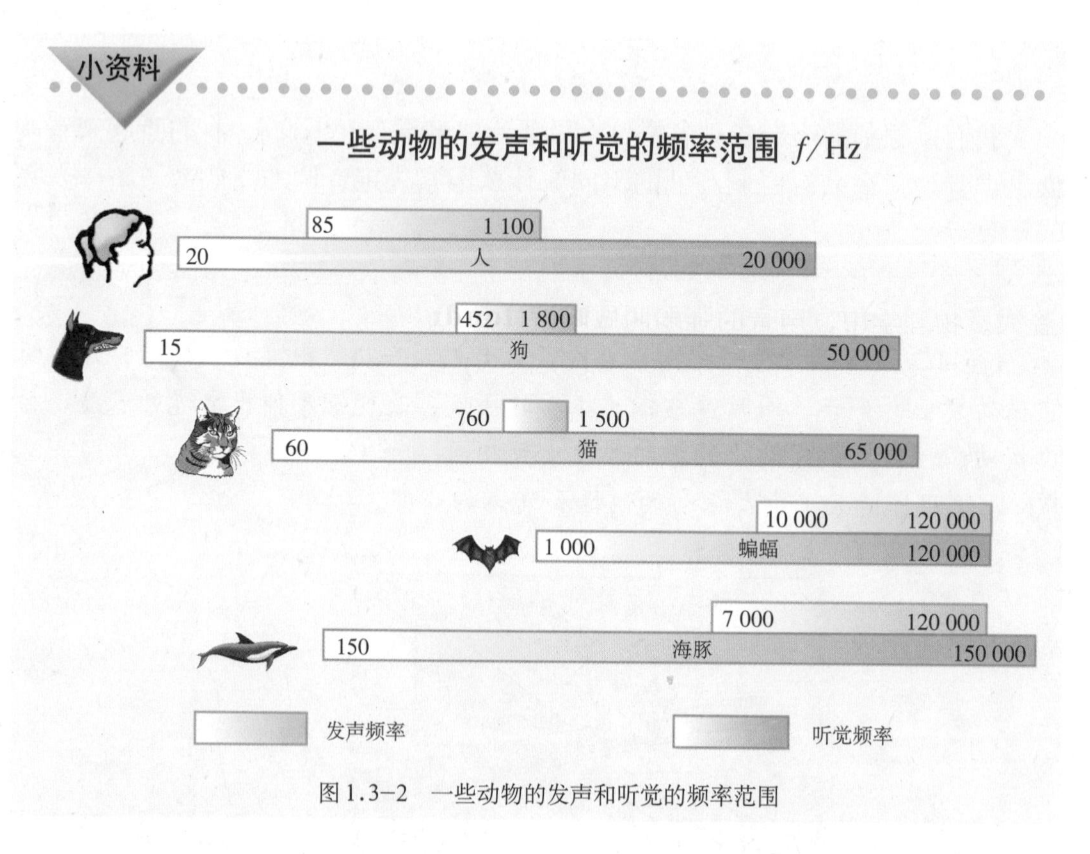

图 1.3-2 一些动物的发声和听觉的频率范围

有些动物对低频声波有很好的反应。还记得吗，本章开始时说过“大象可以用人类听不到的‘声音’进行交流”，实际上，大象的语言声音对人类来说是一种次声波。大自然的许多活动，如地震、火山喷发、台风、海啸等，都伴有次声波产生。一些机器在工作时，也会产生人耳听不到的次声波。有些次声波对人体的健康有害。

声音的波形可以在示波器上展现出来。

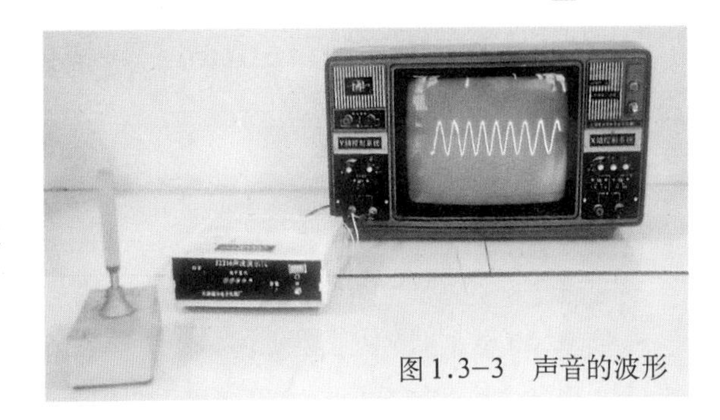

图 1.3-3　声音的波形

演示　观察声音的波形

将音叉发出的声音信号输入到示波器上，观察不同频率的音叉声音的波形。再将男女同学的声音信号输入，比较它们的差异。

想想议议

振动会发出声音，为什么我们听不到蝴蝶翅膀振动发出的声音，却能听到讨厌的蚊子声？

响度

声音有音调的不同，也有强弱的不同。例如，用力击鼓比轻击鼓产生的声音大。物理学中，声音的强弱叫做**响度(loudness)**。什么因素决定声音的响度呢？

探究

●提出问题

响度与什么因素有关？

●设计实验和进行实验

如图1.3-4，将系在细绳上的乒乓球轻触正在发声的音叉，观察乒乓球被弹开的幅度。

使音叉发出不同响度的声音，重做上面的实验。

响度与什么因素有关？

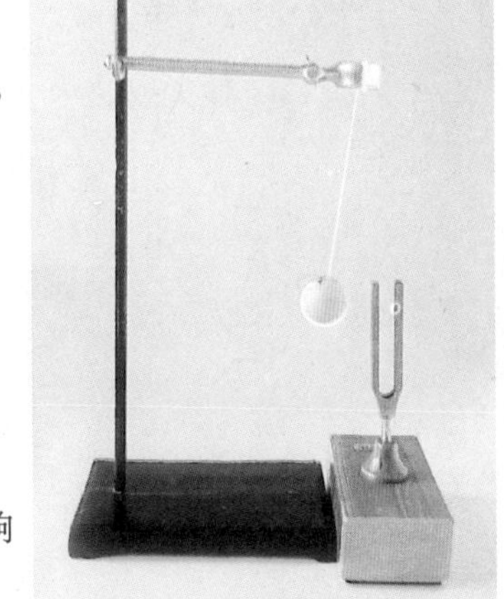
图 1.3-4　声音的响度与什么因素有关？

物理学中用**振幅**(**amplitude**)来描述物体振动的幅度。物体的振幅越大，产生声音的响度越大。

音色

频率的高低决定声音的音调，振幅的大小决定声音的响度。但是，不同的物体发出的声音，即便音调和响度相同，我们还是能够分辨它们。这表明在声音的特征中还有一个因素是十分重要的，它就是**音色**(**musical quality**)。不同发声体的材料、结构不同，发出声音的音色也就不同。

想想做做

听不同的乐器演奏音调相同的声音，例如分别用口琴和笛子演奏C调的1(do)。也可以听不同乐器演奏的同一首乐曲，如分别用小提琴和二胡演奏的《二泉映月》。

音调和响度相同、音色不同的声音，它们的波形有什么区别?

演示 观察波形

将话筒接在示波器的输入端，用不同的乐器对着话筒发出相同音调的声音，例如都发C调的1 (do)，比较各波形有何异同。

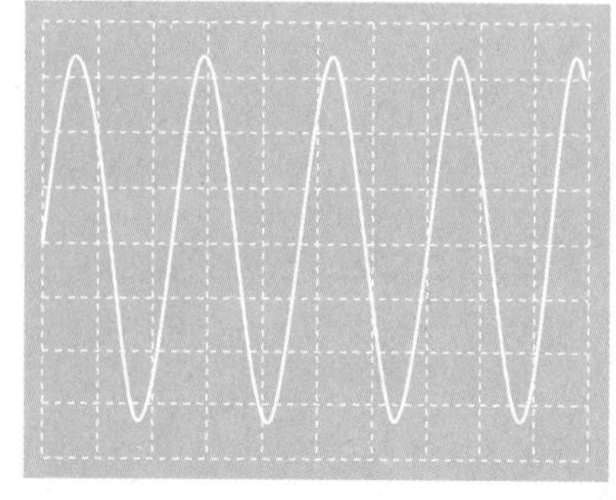

甲 音叉

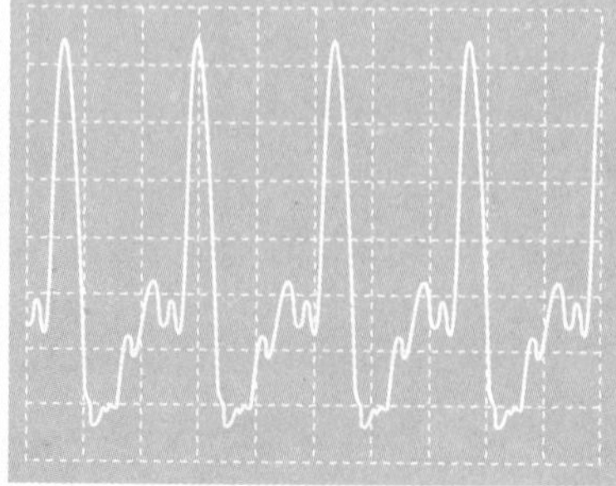

乙 钢琴

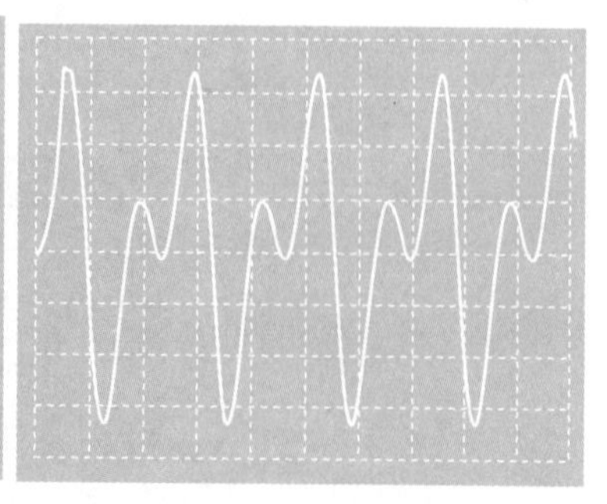

丙 长笛

图1.3-5 不同乐器发声的波形图

想想做做

用录音机录下一段自己朗读课文的声音，和同学一起听听这段录音。你认为放出来的声音和自己的声音一样吗？别的同学认为一样吗？想想看，这是为什么？

如果对自己的猜想有疑问，请到图书馆查找有关的资料，或者向老师请教，把问题弄清楚。

科学世界

乐音和乐器

乐音 声音是多种多样的。许多声音悠扬、悦耳，听到时感觉非常舒服，例如歌唱家的歌声、演奏家演奏的乐曲声。人们把这类声音叫做乐音。

从钢琴和长笛的波形图中可以看出，乐音的波形是有规则的。

乐器 为了欣赏各种乐音，千百年来世界各地、各民族的人民发明了各种各样的乐器。虽然各种乐器看上去千差万别，音色和演奏方式也各不相同，但所有乐器的物理原理都是一样的：通过振动发出声音。

乐器可以分为三种主要的类型：打击乐器、弦乐器和管乐器。

打击乐器 鼓、锣等乐器受到打击时发生振动，产生声音。以鼓为例，鼓皮绷得越紧，振动得越快，音调就越高。击鼓的力量越大，鼓皮的振动幅度就越大，声音就越响亮。

弦乐器 二胡、小提琴和钢琴通过弦的振动发声。长而粗的弦发声的音调低，短而细的弦发声的音调高。绷紧的弦发声的音调高，不紧的弦发声的音调低。弦的振动幅度越大，声音就越响。弦乐器通常有一个木制的共鸣箱来使声音更洪亮。

图 1.3–6 编钟是我国春秋战国时代的乐器。敲击大小不同的钟能发出不同的音调。

管乐器 长笛、箫等乐器，包含一段空气柱，吹奏时空气柱振动发声。抬起不同的手指，就会改变空气柱的长度，从而改变音调。长的空气柱产生低音，短的空气柱产生高音。各种号也是常见的管乐器。

1.如果你家中有乐器，观察一下它是怎样发出声音的，又是怎样改变音调和响度的。

2.制作音调可变的哨子。

在筷子上捆一些棉花(或碎布)，做一个活塞。用水蘸湿棉花后插入两端开口的塑料管或竹管中。用嘴吹管的上端，可以发出悦耳的哨音。上下推拉“活塞”，音调就会改变(图1.3–7)。你能练着用它吹出一首歌吗？

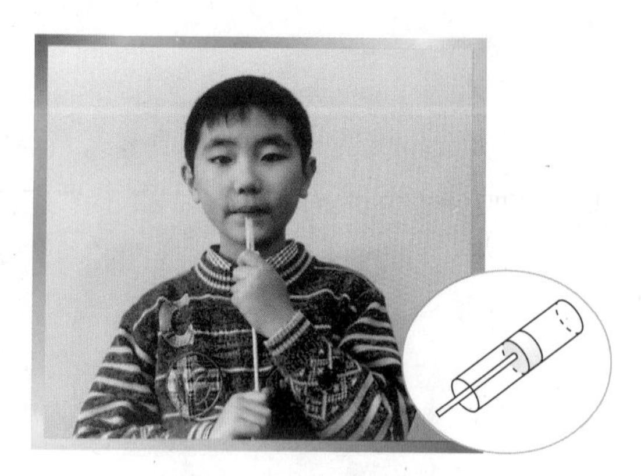

图1.3–7 音调可变的哨子

3.某种昆虫靠翅的振动发声。如果这种昆虫的翅在2 s内做了700次振动，频率是多少？人类能听到吗？

4.小小音乐会。

每人制作一件小乐器，在班里举行的小型音乐会上用自己制作的乐器进行演奏。看谁的乐器有新意，谁演奏得好。

图1.3–8 水瓶琴

8个相同的水瓶中灌入不同高度的水，敲击它们，就可以发出“1,2,3,4,5,6,7,$\dot{1}$”的声音来！

四 噪声的危害和控制

优美的乐音令人心情舒畅，而杂乱的声音——**噪声**(**noise**)则令人心烦意乱。噪声是严重影响我们生活的污染之一。噪声是怎样产生的？它对人有哪些危害？怎样才能有效地防止或减弱噪声？

噪声的来源

噪声是发声体做无规则振动时发出的声音。

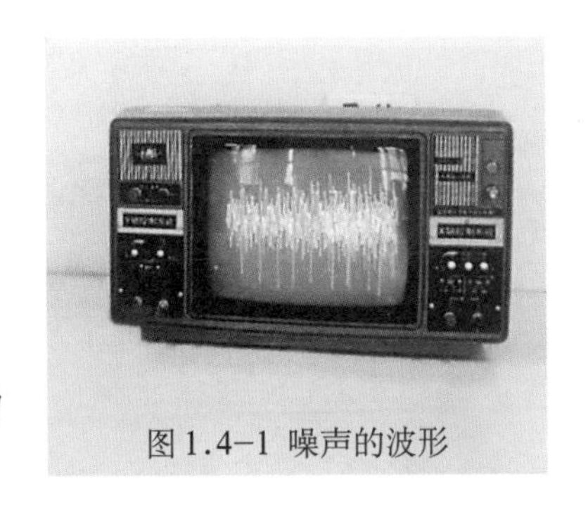
图 1.4-1 噪声的波形

演示 观察噪声的波形

利用示波器观察铁钉刮玻璃时产生的噪声的波形，并与音叉声音的波形做比较。

从环境保护的角度看，凡是妨碍人们正常休息、学习和工作的声音，以及对人们要听的声音产生干扰的声音，都属于噪声。从这个意义上说，噪声的来源是非常多的。街道上的汽车声、安静的图书馆里的说话声、建筑工地的机器声，以及邻居电视机过大的声音，都是噪声。

噪声强弱的等级和危害

人们以**分贝**(**decibel**，符号是dB)为单位来表示声音强弱的等级。0 dB是人刚能听到的最微弱的声音；30～40 dB是较为理想的安静环境；70 dB会干扰谈话，影响工作效率；长期生活在90 dB以上的噪声环境中，听力会受到严重影响并产生神经衰弱、头疼、高血压等疾病；如果突然暴露在高达150 dB的噪声环境中，鼓膜会破裂出血，双耳完全失去听力。

为了保护听力，声音不能超过90 dB；为了保证工作和学习，声音不能超过70 dB；为了保证休息和睡眠，声音不能超过50 dB。

图 1.4-2 街道上显示噪声等级的装置

下面给出了一些声强级的分贝数和人们相应的感觉。

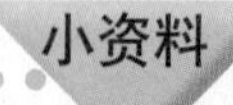

人对不同声强的感觉

主观感觉(dB)		声音
无法忍受	150	火箭、导弹发射
	140	喷气式飞机起飞
	130	螺旋桨飞机起飞
感到疼痛	120	球磨机工作
	110	电锯工作
很吵	100	拖拉机开动
	90	很嘈杂的马路
较吵	80	一般车辆行驶
	70	大声说话
较静	60	一般说话
	50	办公室
安静	40	图书馆阅览室
	30	卧室
极静	20	轻声耳语
	10	风吹落叶沙沙声
	0	刚刚引起听觉

图 1.4-3 几种声源的分贝数

控制噪声

噪声会严重影响人们的工作和生活，因此控制噪声十分重要。我们知道，声音从产生到引起听觉有这样三个阶段：

声源的振动产生声音——空气等介质的传播——鼓膜的振动

因此，控制噪声也要从这三个方面着手，即

防止噪声产生——阻断噪声的传播——防止噪声进入耳朵

摩托车的消声器

城市道路旁的隔声板

工厂用的防噪声耳罩

图 1.4-4 几种控制噪声的措施

图1.4-4中控制噪声的措施分别属于哪一类?

图 1.4-5 禁止鸣喇叭的标志

由于噪声严重影响人们的工作和生活，因此人们把噪声叫做“隐形杀手”。现代的城市把控制噪声列为环境保护的重要项目之一。我国许多城市都制成了针对不同环境的声强级控制标准，在需要安静环境的医院、学校和科学研究部门附近，有禁止鸣喇叭的标志。

小资料

我国城市环境声强级标准/dB

适用范围	白天	夜间
特别需要的安静住宅区	45	35
居民/文教地区	50	45
商业中心区	60	50
工业中心区	65	55
交通干线两侧	70	60

过节燃放鞭炮是我国的传统。近年来，许多大城市采取了一些禁止性的办法。从环境保护以及喜庆的角度，发表你对此事的看法，并且根据所学的知识，提出更合理的建议。

1.调查一下校园里或者你家周围有什么样的噪声。应该采取什么控制措施？与班里的同学交流，看看谁的调查更详细，采取的措施更好。

2.在工厂里，噪声主要来源于________________；在公路上，噪声主要来源于________________。

3.为了使教室内的学生上课免受周围环境噪声干扰，采取下面的哪些方法是有效、合理的？

A.老师讲话声音大一些。

B.每个学生都戴一个防噪声耳罩。

C.在教室周围植树。

D.教室内安装噪声监测装置。

4.在安静环境里，测量你的脉搏在1 min①里跳动的次数。在声音过大的环境里，你的脉搏有变化吗？测量一下！

五 声的利用

声与信息

远处隆隆的雷声预示着一场可能的大雨；铁路工人用铁锤敲击钢轨，会从异常的声音中发现松动的螺栓；医生通过听诊器可以了解病人心、肺的工作状况；古代雾中航行的水手通过号角的回声能够判断悬崖的距离。这些都是声传递信息的例子。实际上，通过声所能获得的信息远不止这些。

图1.5-1 蝙蝠靠超声波探测飞行中的障碍和发现昆虫

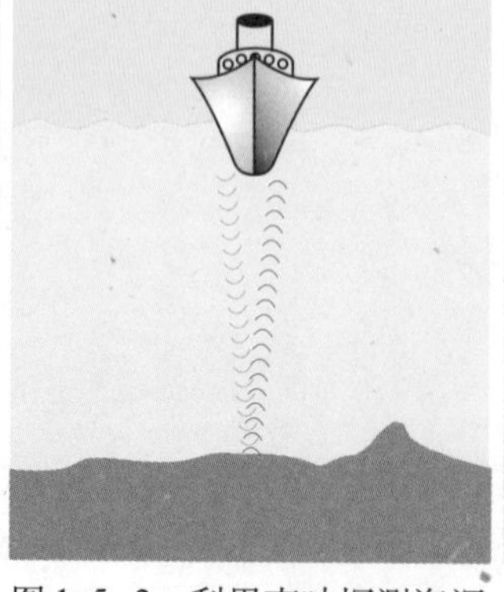

图1.5-2 利用声呐探测海深

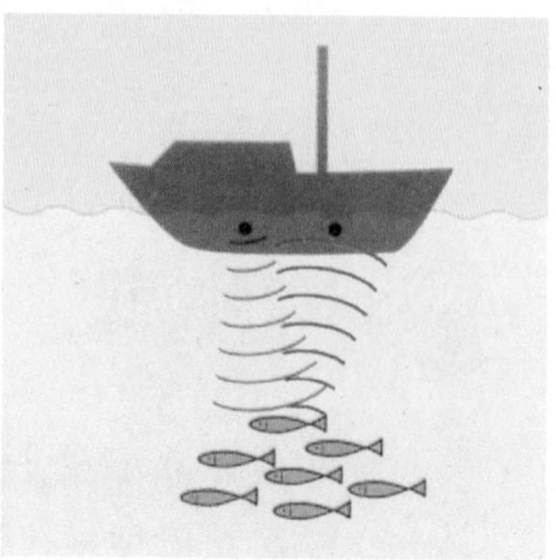

图1.5-3 利用声呐探测鱼群

① min也是时间的单位，读做分。

蝙蝠通常只在夜间出来活动、觅食。但它们从来不会撞到墙壁、树枝上，并且能以很高的精度确认目标。它们的这些“绝技”靠的是什么？原来蝙蝠在飞行时会发出超声波，这些声波碰到墙壁或昆虫时会反射回来，根据回声到来的方位和时间，蝙蝠可以确定目标的位置和距离。它们甚至还能通过反射回来的声波判断出是蛾子还是苍蝇呢！

蝙蝠采用的方法叫做回声定位。根据回声定位的原理，科学家发明了声呐。利用声呐系统，人们可以探知海洋的深度，绘出水下数千米处的地形图。捕鱼时渔民利用声呐来获得水中鱼群的信息。

中医诊病通过“望、闻、问、切”四个途径，其中“闻”就是听。这是利用声音诊病的最早的例子。现在，利用超声波可以更准确地获得人体内部疾病的信息。医生向病人体内发射超声波，同时接收体内脏器的反射波，反射波所携带的信息通过处理后显示在屏幕上。这就是平时说的“B超”。超声探查对人体没有伤害。利用超声波为孕妇作常规检查，可以确定胎儿的发育状况(图1.5–4)。

图1.5–4　胎儿的B超图像

声与能量

把一块石头扔进水里，可以看到一圈一圈的波纹向四周散去，水面上的树叶也随之起伏。我们说，石头的能量通过水波传给了树叶。声波是一种波动，那么，声波能传递能量吗？

演示　声波能传递能量吗？

去掉饮料瓶的瓶底，蒙上橡皮膜。将瓶口对着火焰，敲橡皮膜，火焰会摇动吗？

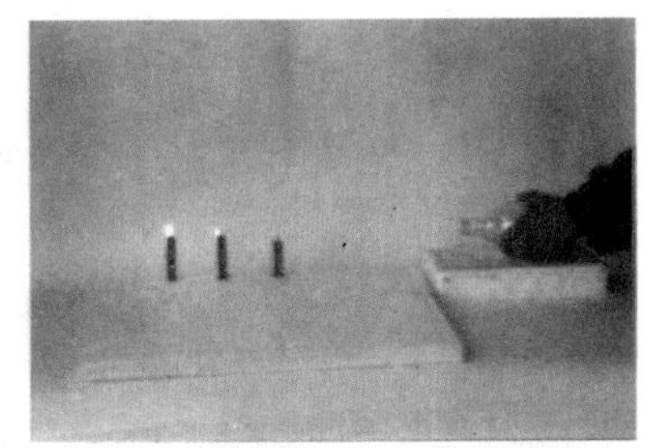

图1.5–5

声波传递能量的性质可以应用在很多方面。

声波可以用来清洗钟表等精细的机械。把被清洗的物体放在清洗液里，超声波穿过液体并引起激烈的振动，振动把物体上的污垢敲击下来而不会损坏被洗的物体。使用超声波是因为它产生的振动比可闻声更加强烈。

外科医生可以利用超声振动除去人体内的结石。向人体内的结石发射超声波，结石会被击成细小的粉末，从而可以顺畅地排出体外。

动手动脑学物理

1. 买瓷碗时，人们常会敲一敲碗，通过声音来判断瓷碗是否破损。这个方法应用了声音的什么特征？

2. 用超声测位仪向海底垂直发射声波，经过4 s后收到回波。此处海底有多深？

3. 学过声现象这一章后，请结合学过的知识，再加上你丰富的想像，写一篇“无声的世界”或类似题目的科学作文。

科学世界

不是老天爷显灵 是建筑师的杰作

驰名中外的北京天坛，是明清两代皇帝祈谷、祈雨、祈天的地方，其中的回音壁、三音石、圜丘三处建筑有非常美妙的声音现象，反映出我国古代高水平的建筑声学。

圜丘在天坛公园的南部，始建于明嘉靖九年(公元1530年)，是座分成三层的圆形平台，每层周边都有汉白玉栏杆，每个栏杆和栏板都有精雕细

天坛的回音壁。人站在圆形围墙内附近说话，声音经过多次反射，可以在围墙的任何位置听到。

天坛的圜丘。人站在中央台上说话，会感到声音特别洪亮。

刻的云龙图案，每层平台的台面都由光滑的石板铺成。第三层台面高出地面约5 m，半径约11.5 m，中心是一块圆形大理石，俗称天心石或太极石。当你站在天心石上说话或唱歌时，你会觉得声音特别洪亮。但是站在天心石以外的人听起来，却没有这种感觉，站在天心石以外说唱，也没有这种感觉。

传说，皇帝每年都要到这里来祈祷上天，在圜丘的天心石上祷告："苍天保佑，五谷丰登。"当他听到远比自己平时说话大得多的声音时，认为是老天爷显灵，觉得自己的虔诚感动了上天。

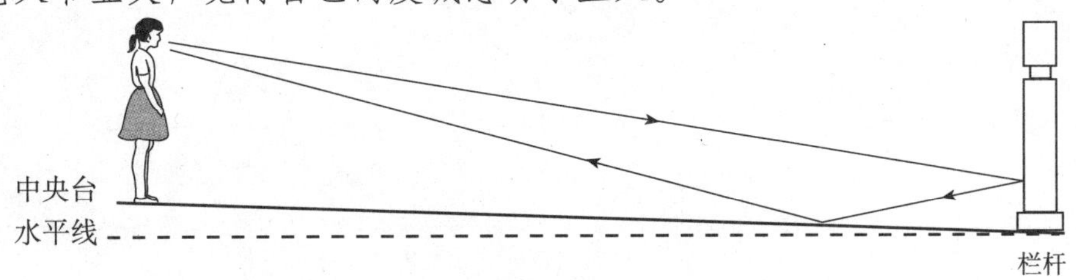

图1.5–6　圜丘声音反射示意图

其实，这不过是建筑师利用声音反射造成的音响效果。圜丘第三层台面实际并不平，台面中心略高(图1.5–6)，四周微微向下倾斜。当有人在台中心喊叫一声，传向四周的声音，有一部分被四周的石栏杆反射，射到稍有倾斜的台面后又反射到台中心。因为圜丘第三层半径仅11.5 m，从发声到回声返回中心仅需0.07 s，所以回声跟原来的声音混在一起，分辨不开，只觉得声音格外响亮，还使人觉得似乎有声音从地下传来。

关于回音壁、三音石的声学特性，同学们还可以寻找到更多的材料。

我还想知道

★ 为什么在空屋子里听别人说话与在旷野里听到的不一样？

★

★

色彩斑斓的光现象

第二章　光现象

节日的夜晚，随着礼花炮声的阵阵轰鸣，空中的礼花上下飞舞，色彩斑斓，千姿百态，有的似蛟龙狂舞，有的如天女散花，它们争着、抢着向人们展示自己美丽、漂亮的身影；街道两旁、楼房周围的彩灯将地面映得通红。整个城市被这姹紫嫣红、五颜六色的礼花、灯光装点成了光的世界。

光把城市打扮得如此美丽，如此动人，令人心旷神怡。对人类来说，光的意义远不止这些。那么，光现象有什么规律，它是如何为人类服务，人类怎样才能更好地利用它呢？相信你学过“色彩斑斓的光现象”后，一定会有更深的体会。

阅读指导

学过本章以后，你就会明白以下问题。

一、光的传播

光是怎样传播的？光的速度有多快？

二、光的反射

光在反射时有什么规律？

三、平面镜成像

平面镜成像有什么规律？什么是虚像？

四、光的折射

光在什么情况下发生折射？折射有什么规律？

五、光的色散

什么是光的三原色？在太阳光下，物体为什么呈现各种颜色？

六、看不见的光

什么是红外线？什么是紫外线？生活中什么地方用到了红外线、紫外线？

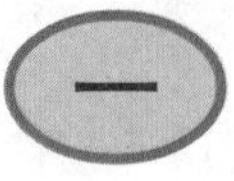

一 光的传播

太阳、电灯等物体能够发光，这些物体叫做光源。夜晚，我们可以看到闪烁的星光，这些星星多数是恒星。宇宙中的恒星都能够发光。

许多动物也可以发光。夏天的夜晚，常有淡淡的绿光在草丛中闪烁，这是萤火虫在发光。有些海洋生物也能发光。在大海深处，灯笼鱼、斧头鱼、水母等发出的光，使幽深的海底世界显得更加神秘。

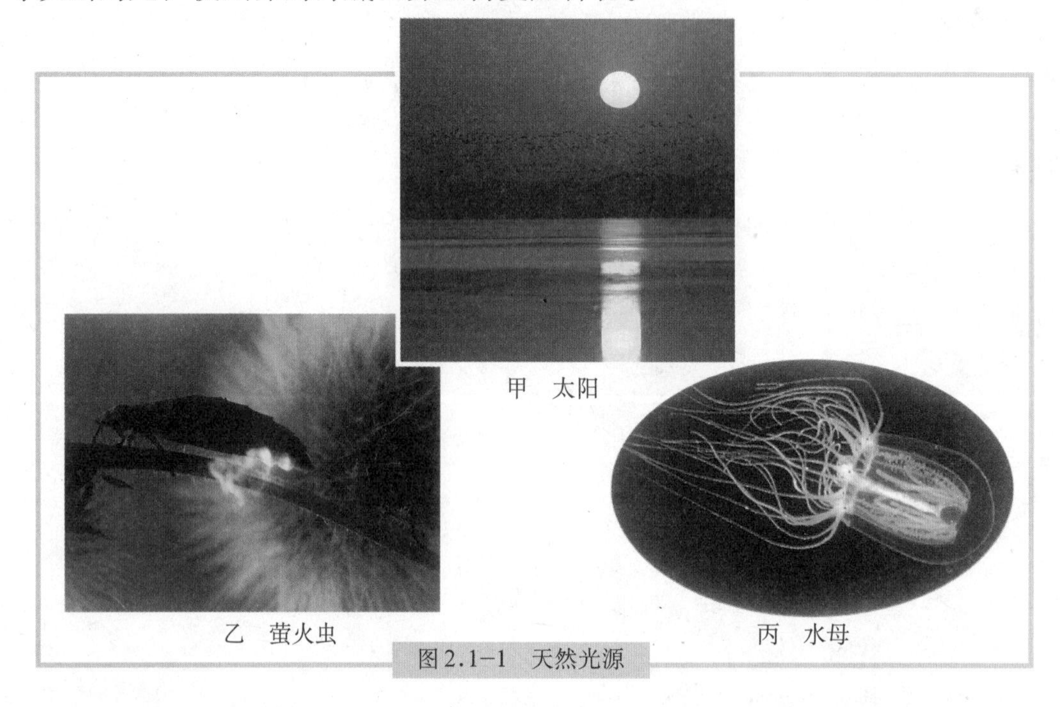

甲 太阳　乙 萤火虫　丙 水母

图 2.1–1 天然光源

现代社会中，人造光源很多(图2.1–2)。你周围有哪些人造光源?

甲 蜡烛　乙 霓虹灯　丙 白炽灯

图 2.1–2 常见的人造光源

光是如何传播的

打开电灯，我们就可以看见它的光，这是由于光从灯泡到达了我们的眼睛。那么，光的传播有什么特点?

演示 光是怎样传播的

1.在暗室里，将一束光射到空气中，观察光在空气中的传播径迹。

2.在暗室里，将一束光射到水中，观察光在水中的传播径迹。

由于光沿直线传播，在开凿大山隧道时，工程师们常常用激光束引导掘进机，使掘进机沿直线前进，保证隧道方向不出偏差(图2.1–3)。

图2.1–3 激光引导掘进方向

为了表示光的传播情况，我们通常用一条带有箭头的直线表示光的径迹和方向。这样的直线叫**光线**(**light ray**)。

图2.1–4 光线

想想做做

给一个空罐的底部中央打一个小孔，再用一片半透明的塑料膜蒙在空罐的口上，如图2.1–5甲所示。

将小孔对着发光的物体，例如灯丝，我们可以看到发光体在薄膜上呈现的像。如果乙图左侧物体发光，所成像如图中所示，你能画出光行进的径迹吗？试试看！

甲 实物

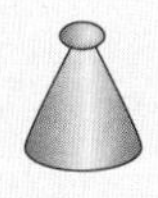

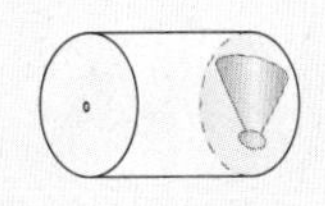

乙 画出光行进的径迹

图2.1–5 小孔成像

光的传播速度

打雷时，雷声和闪电在同时同地发生，但是我们总是先看到闪电后听见雷声。这表明，光的传播速度比声音快。

真空中的光速是宇宙间最快的速度，在物理学中用字母c表示。光在真空中1 s能传播299 792 000 m，也就是说，真空中的光速为

$$c = 2.99792 \times 10^8 \text{ m/s}$$

光在其他各种介质中的速度都比在真空中的小。空气中的光速大约为2.997000×10^8 m/s。

在我们的计算中，真空或空气中的光速取为

$$c = 3 \times 10^8 \text{ m/s}$$

光在水中的速度比真空中小很多，约为真空中光速的$\frac{3}{4}$；光在玻璃中的速度比在真空中小得更多，约为真空中光速的$\frac{2}{3}$。

甲 如果一个飞人以光速绕地球运行，在1 s的时间内，能够绕地球运行7.5圈。

乙 太阳发出的光，要经过大约8 min到达地球。如果一辆1 000 km/h①的赛车不停地跑，要经过17年的时间才能跑完从太阳到地球的距离！

图2.1-6 真空中的光速是宇宙间最快的速度

① km/h是速度单位“千米每时”的符号。

科学世界

我们看到了古老的光

同学们都听爷爷奶奶讲过《牛郎织女》的神话故事吧。王母娘娘拆散了牛郎和织女的幸福家庭，他们化作天上的两颗星，只能在每年农历七月初七渡过银河相会一次。这个故事表达了我们祖先反抗封建礼教，追求幸福生活的美好愿望。

但是，神话终归是神话。你知道天上的牛郎星和织女星相距有多远吗？这两颗星都是银河系中的恒星，它们之间的距离如果用千米作单位表示，那可真是个“天文数字”，大得不得了。如果以宇宙中最快的速度——光速飞行，从牛郎星飞到织女星也要16年！要想每年相会一次，那是不可能的。

宇宙中恒星间的距离都非常大，为了表达起来方便一些，天文学家使用一个非常大的距离单位——光年，它等于光在1年内传播的距离。这样说来，牛郎星和织女星的距离就是16光年。

离太阳系最近的恒星是半人马座的“比邻星”（只能在南半球看到），距我们4.3光年，也就是说，我们现在观测到的比邻星的光，是4.3年前发出的，经过了四年多的飞行，才到达我们的眼睛。想一想，那时候你正在上几年级？很有趣吧！

银河系是超过1 000亿颗恒星组成的星系。在银河系之外，离我们最近的星系是大、小麦哲伦云（很遗憾，也只能在南半球看到），它们距离我们16万～19万光年。想一想，我们今天看到的麦哲伦云的光，是它们什么时候发出的？那时候人类在进化过程中正处于哪个阶段？

秋天的夜晚可以在东北方向的天空找到一个亮斑，看起来像个纺锤，那就是仙女座大星云。它是北半球惟一可用肉眼看到的银河外星系，与我们的距离是225万光年。

目前人类观测到的最远天体，距离我们有140多亿光年，我们看到的是140多亿年前发出的光。那时候是宇宙诞生的初期，地球还没有出现。

光——宇宙的使者，它不仅告诉我们宇宙的现在，而且正在告诉我们遥远的过去。

图 2.1-7　仙女座大星云

回答以下问题

1. “光年”是什么物理量的单位？
2. 牛郎星和织女星的距离是多少千米？
3. 为什么在形容一个数字很大、很大的时候，常说这是个“天文数字”？

1. 一次闪电发生后经过4 s听到雷声，雷声发生在多远的地方？

2. “井底之蛙”(图2.1−8)这个成语大家都很熟悉吧？你能解释为什么“坐井观天，所见甚小”吗？你能根据光的直线传播原理画图来说明吗？

3. 请你用光的直线传播知识解释影子是怎样形成的。

图 2.1−8

图2.1−9 手影

4. 举出一些例子，说明光的直线传播在生活中应用的例子。

光的反射

光反射的规律

光遇到水面、玻璃以及其他许多物体的表面都会发生**反射**(**reflection**)。

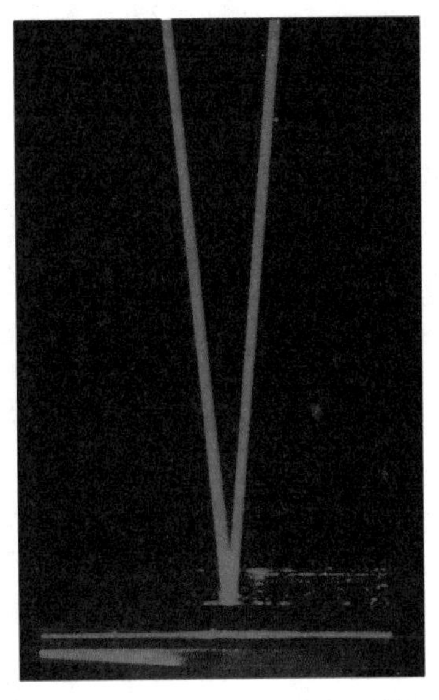

图 2.2–1　红色激光束的反射

图 2.2–2　我们能够看见不发光的物体，是因为物体反射的光进入了我们的眼睛。

光反射时的规律

●提出问题

光在反射时遵循什么规律？也就是说，反射光沿什么方向射出？

●设计实验和进行实验

把一个平面镜放在水平桌面上，再把一张纸板 *ENF* 竖直地立在平面镜上，纸板上的直线 *ON* 垂直于镜面，如图2.2–3所示。

一束光贴着纸板沿某一个角度射到 *O* 点，经平面镜的反射，沿另一个方向射出，在纸板上用笔描出入射光 *EO* 和反射光 *OF* 的径迹。

改变光束的入射方向，重做一次。换另一种颜色的笔，记录光的径迹。

	角i	角r
第一次		
第二次		

取下纸板，用量角器测量 *NO* 两侧的角i和角r。

纸板ENF是用两块纸板连接起来的。把纸板NOF向前折或向后折(图2.2-4)，还能看到反射光线吗？

关于光的反射，你发现了什么规律？

分析和论证

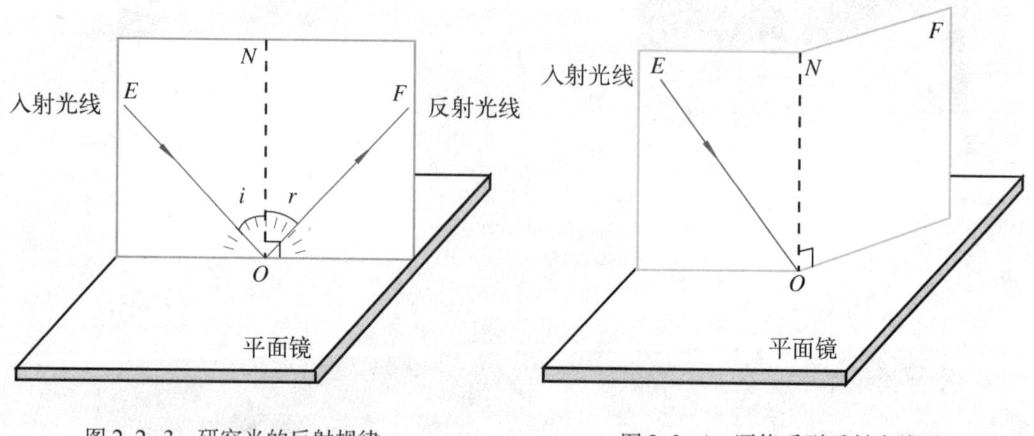

图 2.2-3 研究光的反射规律

图 2.2-4 还能看到反射光线吗？

垂直于镜面的直线ON叫做法线；入射光线与法线的夹角i叫做入射角；反射光线与法线的夹角r叫做反射角。

在反射现象中，反射光线、入射光线和法线都在同一个平面内；反射光线、入射光线分居法线两侧；反射角等于入射角。这就是**光的反射定律**(**reflection law**)。

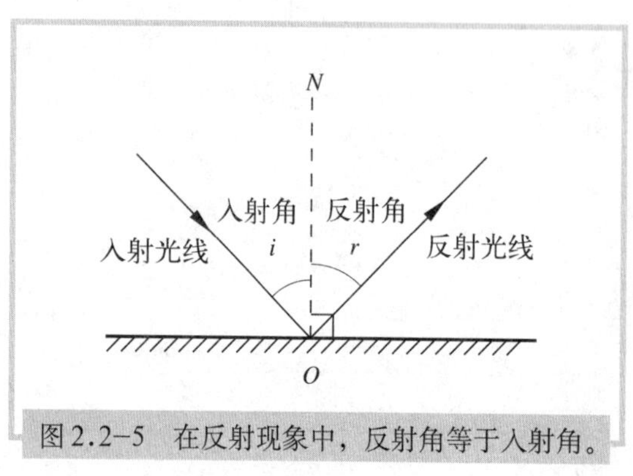

图 2.2-5 在反射现象中，反射角等于入射角。

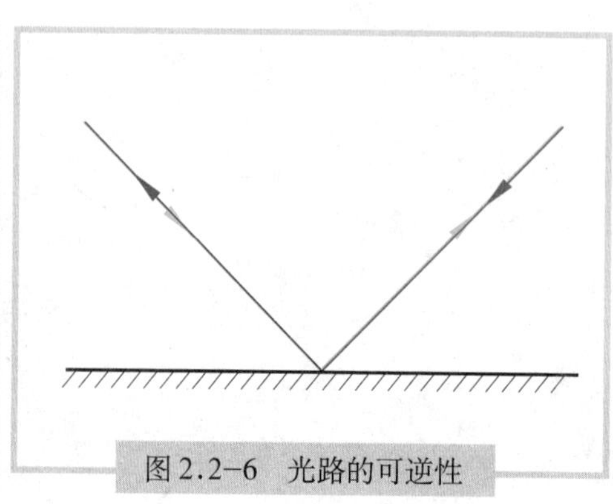

图 2.2-6 光路的可逆性

如果让光逆着反射光线的方向射到镜面，那么，它被反射后就会逆着原来的入射光的方向射出(图2.2-6)。这表明，**在反射现象中，光路是可逆的。**

生活中有很多现象可以说明光路的可逆性。例如，如果你在一块平面镜中看到了另一位同学的眼睛，那么，不论这个平面镜多么小，你的同学也一定会从这块平面镜中看到你的眼睛。

漫反射

阳光射到镜子上，迎着反射光的方向可以看到刺眼的光(图2.2-7甲)。如果阳光射到白纸上，无论在哪个方向，都不会感到刺眼。这是为什么？

原来，镜面很光滑，而看上去很平的白纸，细微之处实际是凹凸不平的。凹凸不平的表面会把光线向着四面八方反射，这种反射叫做**漫反射**(图2.2-7乙)。

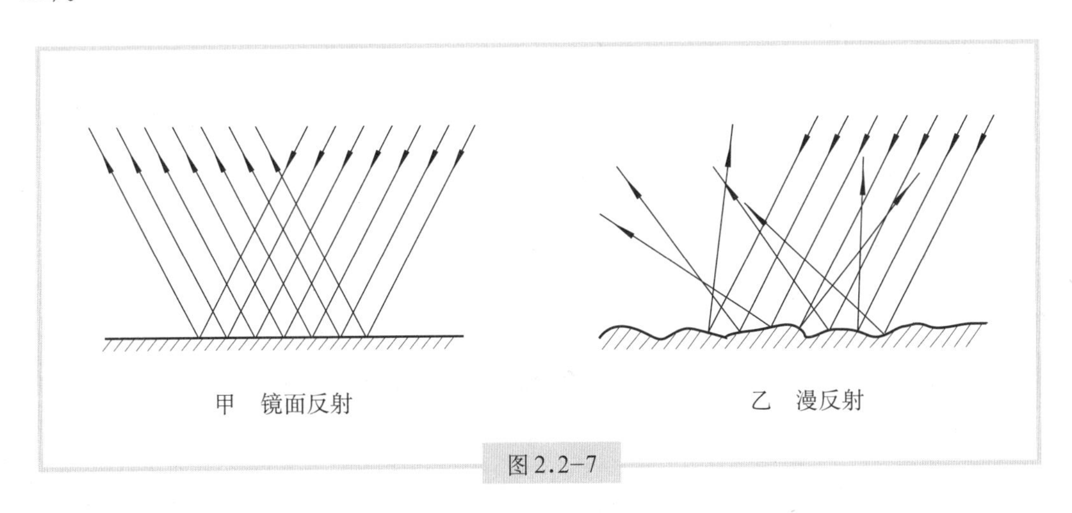

图2.2-7

1.光与镜面成30°角射在平面镜上(图2.2-8)，反射角是多大？试画出反射光线，标出入射角和反射角。如果光垂直射到平面镜上，反射光如何射出？画图表示出来。

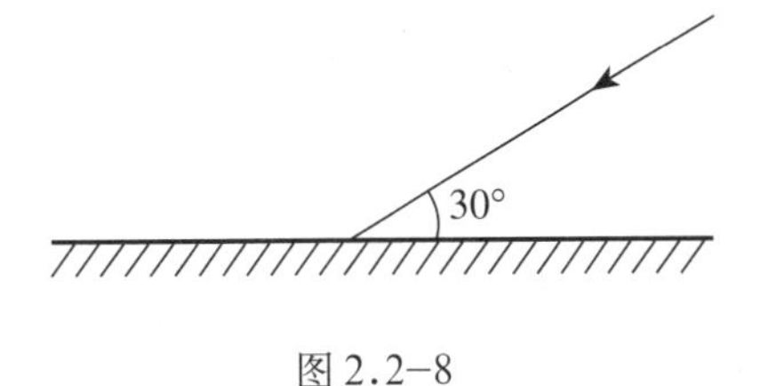

图2.2-8

2. 有时，黑板反射的光能“晃”着一些同学的眼睛，画出这个问题的光路。为了保护同学的眼睛，请你根据所学的知识提出改变这种状况的建议。

3. 电视机的遥控器可以发射一种不可见光，叫做红外线，用它来传递信息，实现对电视机的控制。试着不把遥控器对准电视的控制窗口，按一下按钮，有时也可以控制电视(图2.2–9)。这是为什么？

4. 自行车尾灯的结构如图2.2–10所示。夜晚，用手电筒照射尾灯，看看它的反光效果。试着在图2.2–10左图上画出反射光线来。

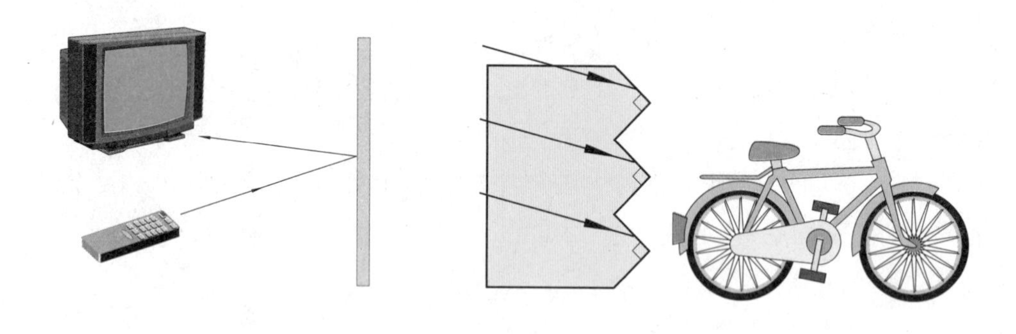

图 2.2–9 遥控器　　图 2.2–10 自行车尾灯

5. 激光测距仪向目标发射激光脉冲束，接受反射回来的激光束，测出激光往返所用的时间，就可以算出所测天体与地球之间的距离。地球到月球的距离是3.8×10^{8} m，计算一束激光从激光测距仪出发，大约经过多长时间反射回来。现在利用激光测距仪测出月地之间的距离，精度可以达到±10 cm。激光测距技术广泛应用在人造地球卫星测控、大地测量等方面。

三 平面镜成像

平面镜成像的特点

在你照镜子的时候可以在镜子里看到另外一个“你”，镜子里的这个“人”就是你的**像(image)**。

探究

平面镜成像的特点

●提出问题

平面镜成像时，像的位置、大小跟物体的位置、大小有什么关系？

●设计实验和进行实验

照图2.3-1那样，在桌面上铺一张大纸，纸上竖立一块玻璃板，作为平面镜。在纸上记下平面镜的位置。把一支点燃的蜡烛放在玻璃板的前面，可以看到它在玻璃板后面的像。再拿一支没有点燃的同样的蜡烛，竖立着在玻璃板后面移动，直到看上去它跟前面那支蜡烛的像完全重合。这个位置就是前面那支蜡烛的像的位置。在纸上记下这两个位置。实验时注意观察蜡烛的大小和它的像的大小是否相同。

移动点燃的蜡烛，重做实验。

用直线把每次实验中蜡烛和它的像的位置连起来，用刻度尺测量它们到平面镜的距离。

	物到平面镜的距离/cm	像到平面镜的距离/cm	像与物大小比较(放大或缩小)
第一次			
第二次			

●分析和论证

蜡烛的位置和它的像在位置上有什么关系？它们的大小有什么关系？

图2.3-1　探究平面镜成像的装置

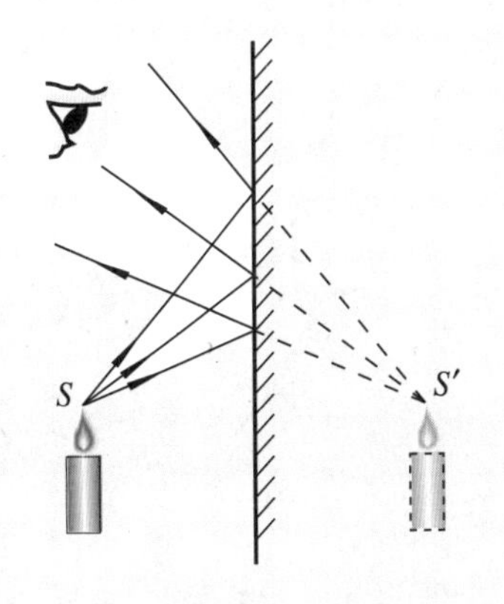

图2.3-2　平面镜中的像是虚像

虚像

在上面的实验中，平面镜后面并没有点燃的蜡烛，但是，我们却看到平面镜后面好像有烛焰。这是为什么？

在图2.3－2中，光源 S 向四处发光，一些光经平面镜反射后进入了人的眼睛，引起视觉，我们感到好像光是从图中 S' 处发出的。S' 就是 S 在平面镜中的像。

由于平面镜后并不存在光源 S'，进入眼睛的光并非真正来自那里，所以把 S' 叫做**虚像**(**virtual image**)。

岸边的树木和房屋在水中的像看上去都是倒立的，你能说明其中的道理吗？

图2.3－3

科学世界

凸面镜和凹面镜

除了平面镜外，生活中也常见到凸面镜和凹面镜，它们统称球面镜。餐具中的不锈钢勺子，它的里外两面就相当于凹面镜和凸面镜。

如果将一束平行光照在凸面镜上，凸面镜使平行光束发散(图2.3－4甲)；而凹面镜使平行光束会聚(图2.3－4乙)。

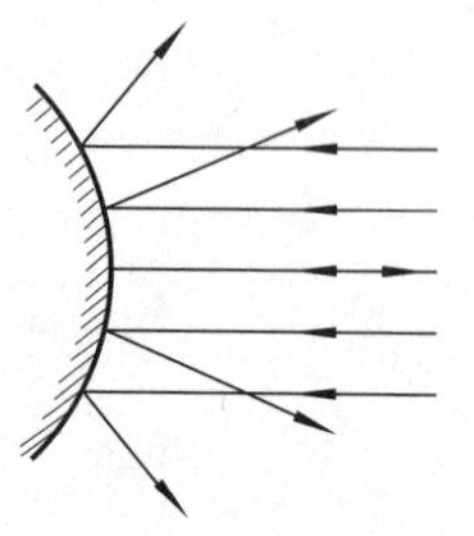

甲　凸面镜的发散作用

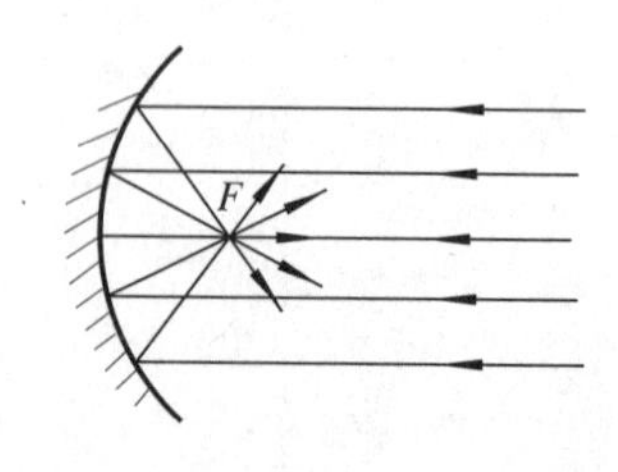

乙　凹面镜的会聚作用

图2.3－4　球面镜的作用

凸面镜和凹面镜在实际中有很多应用。例如，汽车的后视镜、街头拐

图 2.3–5　凸面镜可以扩大视野

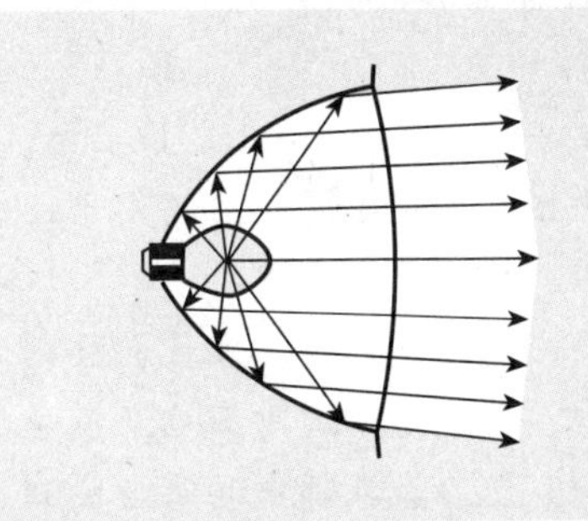

图 2.3–6　手电筒的反光装置相当于凹面镜，有了它，射出的光接近于平行光。

弯处的反光镜，都是凸面镜(图 2.3–5)，而手电筒的反光装置则相当于凹面镜(图 2.3–6)。

用凹面镜制成的太阳灶(图 2.3–7)，利用会聚的太阳光可以烧水、煮饭，既节省燃料，又不污染环境。凹面镜的面积越大，会聚的太阳光越多，温度也就越高。大的太阳炉甚至可以用来熔化金属。

图 2.3–7　我国西藏自治区常见的太阳灶

反射式天文望远镜的凹面镜，口径可达数米。利用凹面镜能够把来自遥远宇宙空间的微弱星光会聚起来，进行观测。中国科学院国家天文台兴隆观测站安装的反射式望远镜的口径为2.16 m，是远东最大的天文望远镜。它能看到的最弱星光，亮度只相当于200 km外一根点燃的火柴。

回答以下问题

在上面的文章中，什么地方涉及了“在反射现象中，光路是可逆的”这个道理？

1．一个同学站在平面镜前1 m处，镜中的像与他相距

A. 1 m；　　B. 0.5 m；
C. 0 m；　　D. 2 m。

2．试画出图2.3-8中的小丑的帽子在平面镜中的像。

3．检查视力的时候，视力表放在被测者头部的后上方，被测者识别对面墙上镜子里的像(图2.3-9)。视力表在镜中的像与被测者相距多远？与不用平面镜的方法相比，这样安排有什么好处？

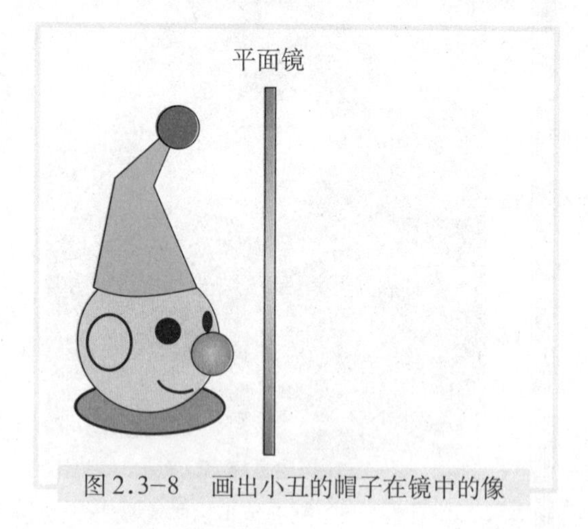

图2.3-8　画出小丑的帽子在镜中的像

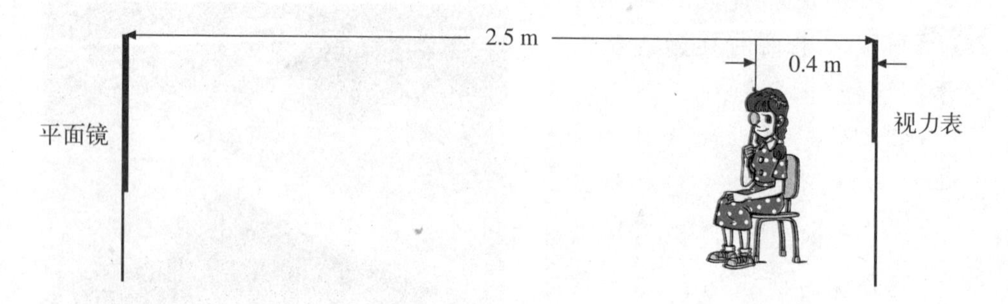

图2.3-9　检查视力

4．如图2.3-10所示，$A'O'$是AO在平面镜中成的像。画出平面镜的位置来。

5．潜水艇下潜后，艇内的人员可以用潜望镜来观察水面上的情况。我们利用两块平面镜就可以制作一个潜望镜(图2.3-11)。自己做一个潜望镜并把它放在窗户下，看看能否观察到窗外的物体。

如果一束光水平射入潜望镜镜口，它将经过怎样的路径射出？画出光路图来。

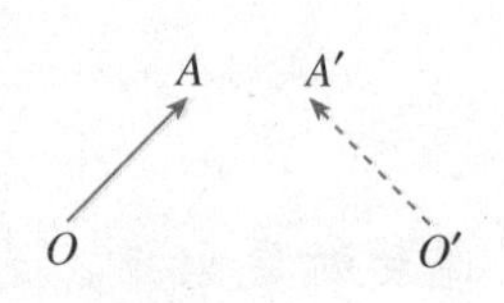

图2.3-10　平面镜在哪里？

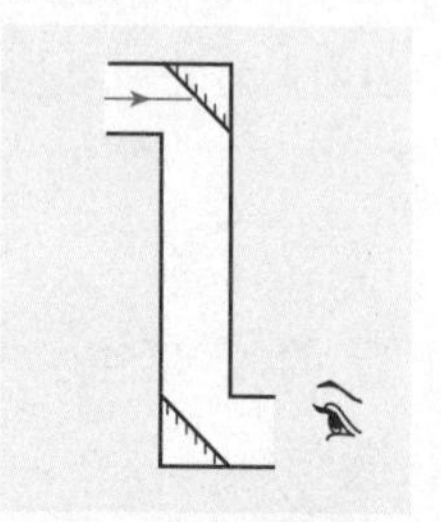
图2.3-11　潜望镜

光的折射

折射现象

我们说光是沿直线传播的，那是指光在同一种介质中(例如在空气中或在水中)传播的情形。如果光从一种介质进入另一种介质，例如从空气进入水或玻璃时，情况又会怎样呢?

演示　光的折射

把一束光从空气斜着射入水中(图2.4–1)，观察光束在空气中和水中的径迹。

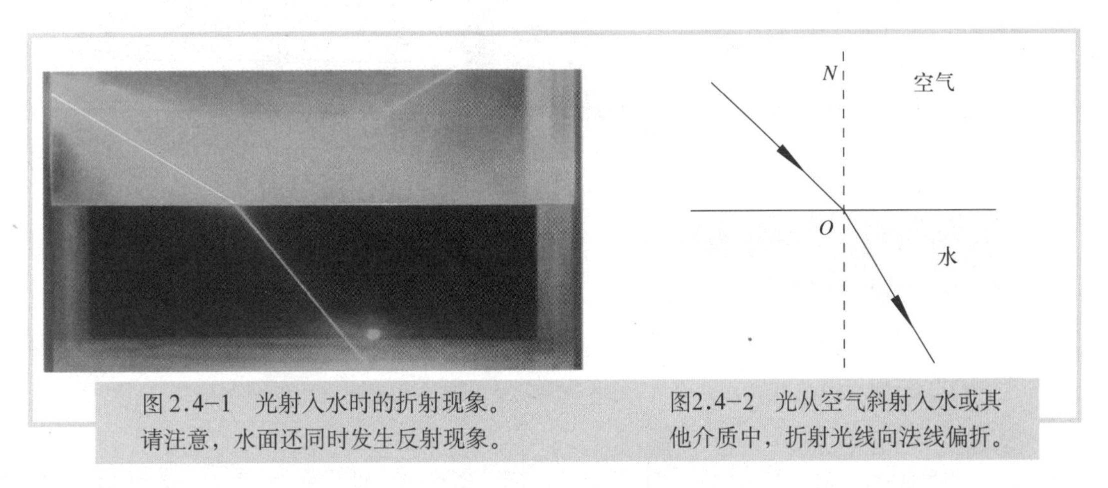

图2.4–1　光射入水时的折射现象。请注意，水面还同时发生反射现象。

图2.4–2　光从空气斜射入水或其他介质中，折射光线向法线偏折。

光从一种介质斜射入另一种介质时，传播方向发生偏折，这种现象叫做光的**折射**(**refraction**)。**光从空气斜射入水中或其他介质中时，折射光线向法线方向偏折。**

请你猜测，如果光从水中斜射入空气，是否发生折射现象？射到空气中的光线将向哪个方向偏折？画图表示你的想法。你在作出这个猜测时，作了什么样的假设？实际做做，看这种假设和猜想是否正确？

折射使池水“变浅”

鱼儿在清澈的水里面游动，可以看得很清楚。然而，沿着你看见鱼的方向去叉它，却叉不到。有经验的渔民都知道，只有瞄准鱼的下方才能把鱼叉到(图2.4–3)。

图2.4–3 鱼在哪里？

从上面看水、玻璃等透明介质中的物体，会感到物体的位置比实际位置高一些。这是光的折射现象引起的(图2.4–4)。

由于光的折射，池水看起来比实际的浅。所以，当你站在岸边，看着清澈见底、深度不过齐腰的水时，千万不要贸然下去，以免因为对水深估计不足，惊慌失措，发生危险。

把一块厚玻璃放在钢笔的前面，笔杆看起来好像“错位”了(图2.4–5)，这种现象也是光的折射引起的。

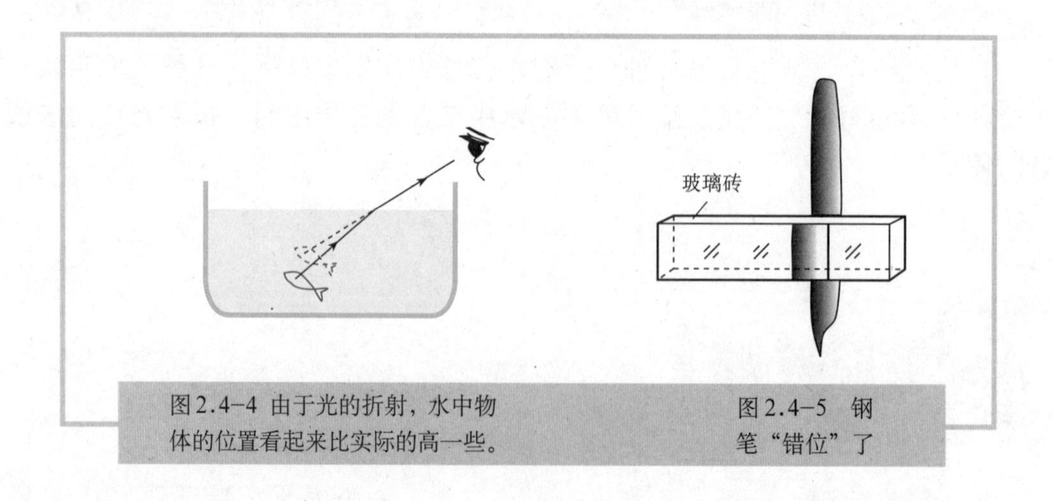

图2.4–4 由于光的折射，水中物体的位置看起来比实际的高一些。

图2.4–5 钢笔“错位”了

1. 图2.4–6中，哪一幅图正确地表示了光从空气进入玻璃中的光路？

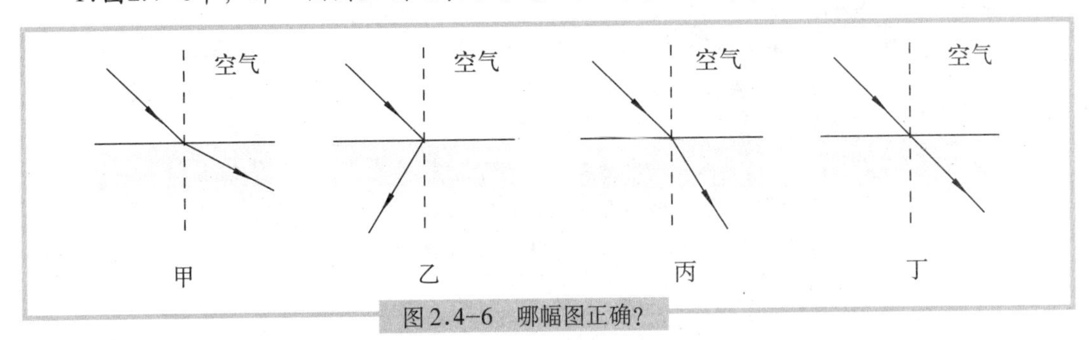

图2.4–6　哪幅图正确？

2. 一束光射向一块玻璃砖（图2.4–7）。画出这束光进入玻璃和离开玻璃后的径迹（注意标出法线）。

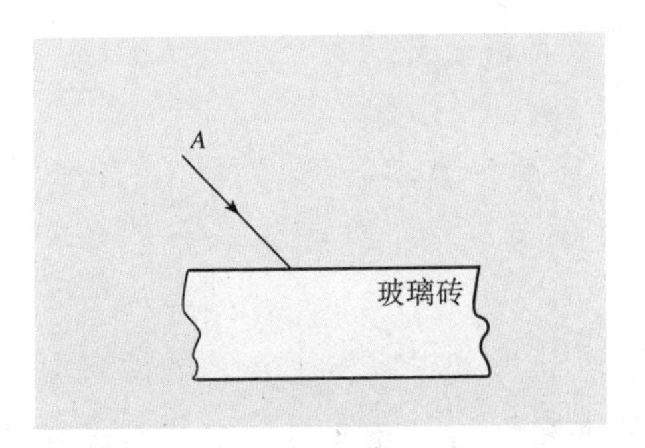

图2.4–7　这束光将向什么方向传播？

图2.4–8　铅笔好像在水面上折断了

3. 把一支铅笔斜插入盛水的玻璃杯里，看上去铅笔好像在水面上折断了（图2.4–8）。这种现象是由光的____________现象引起的。

4. 在透明玻璃杯的杯底放一枚硬币，再放一些水。把杯子端到眼睛的高度，再慢慢下移。当杯子下移到某一个位置时，可以看到两枚硬币。做这个实验，并解释这种现象。

科学世界

海市蜃楼

2001年7月7日，我国多家媒体报道了一条有关海市蜃楼的消息。下面是从新华网下载的报道。

“海市蜃楼”夜临蓬莱

2001年7月7日

多次出现在山东省蓬莱市海面的自然奇观——“海市蜃楼”，2001年7月5日晚在蓬莱再次出现。

晚7时20分，蓬莱海面上方大团云彩变幻莫测，好似绽开的巨大花朵，又如巨轮从海中徐徐飘来。蓬莱阁上空出现了一道“天幕”：前面有如微波荡漾的碧水，后面好像碧水环绕的城市。“画面”的中央宛若建筑群，城区道路依稀可见，不时还有“天人天马”穿梭其间。“画面”的左边看似一个宁静的港湾，船儿点缀其间，右边则像葱绿茂盛的热带森林。远处的山野村庄散落到天际。画面变幻莫测，如仙如梦，直到20时10分以后才渐渐暗淡，最后在海风中慢慢飘失。有近万人看到了这一奇观。

……

实际上，在我国的古书《史记》、《梦溪笔谈》中都有关于海市蜃楼的记载，宋代大诗人苏轼在《登州海市》的诗中也描述过海市蜃楼的奇观。可见，海市蜃楼是一种不算少见的自然现象。

海市蜃楼是怎样发生的?

我们已经知道，光是沿直线传播的，其实严格地说，光只有在均匀的介质中才沿直线传播。如果介质疏密不均，光线就不会沿直线传播，而会发生折射。

海市蜃楼是一种由光的折射产生的现象，多发生在夏天的海面上。夏天，较热的空气笼罩海面，但是海水比较凉，海面附近空气的温度比空中的低。空气热胀冷缩，上层的空气比底层的空气稀疏。来自地平线以外远处物体的光线，本来不能到达我们的眼中，但有一些射向空中的光线，由于不同高度空气的疏密不同而发生弯曲，逐渐弯向地面(图2.4–9)，进入观察者的眼睛。逆着光线望去，就感到看见了远处的物体。

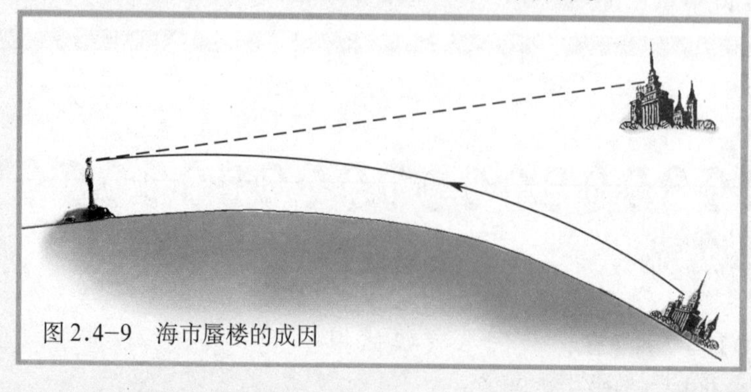

图2.4–9 海市蜃楼的成因

五　光的色散

色散

雨过天晴，一条美丽的弧状光带悬挂在天空，十分壮丽。彩虹是如何产生的？

太阳发出的光，照亮了地球，使万物生辉。17世纪以前，人们一直认为白色是最单纯的颜色。直到1666年，英国物理学家牛顿用玻璃三棱镜使太阳光发生了**色散**(**dispersion**)，这才揭开了光的颜色之谜。

演示　色散

让一束太阳光照射到三棱镜上(图2.5－1)。从三棱镜射出的光有什么变化？

图2.5–1　光的色散(模拟图)

太阳光通过棱镜后，被分解成各种颜色的光，如果用一个白屏来承接，在白屏上就形成一条彩色的光带，颜色依次是红、橙、黄、绿、蓝、靛、紫。这说明，白光是由各种色光混合而成的。彩虹是太阳光传播中被空中水滴色散而产生的。

分解太阳光

如图2.5－2，深盘中盛上一些水，盘边斜放一个平面镜。使太阳光照射在平面镜上，并反射到白色的墙壁上。观察墙壁上反射光的颜色。

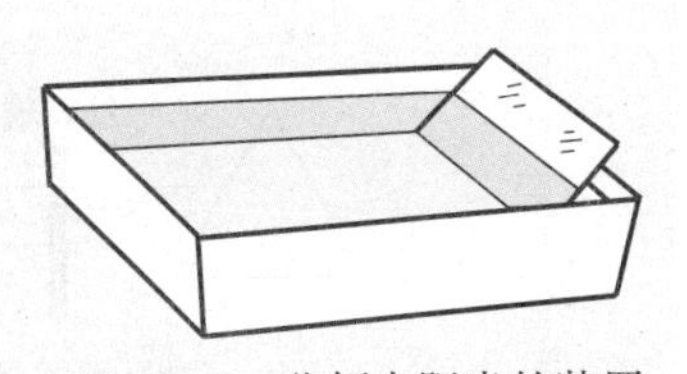

图2.5–2　分解太阳光的装置

色光的混合

人们发现，红、绿、蓝三种色光，按不同比例混合，可以产生各种颜色的光。因此把红、绿、蓝三种色光叫**色光的三原色**(图2.5–3)。

彩色电视机画面上的丰富色彩就是由三原色光混合而成的(图2.5–4)。

图 2.5–3 色光的三原色

图 2.5–4 电视画面的颜色是由红、绿、蓝三种色条合成的。

想想做做

把红色、蓝色、绿色透明塑料片放在阳光下，各透过什么颜色的光？

将任意两片透明塑料片叠在一起，透过的是什么颜色的光？

透过各色透明塑料片，观察我们课本上的画面，色彩发生变化了吗？

物体的颜色

在光照到物体上时，一部分光被物体反射，一部分光被物体吸收。如果物体是透明的，还有一部分透过物体。不同物体，对不同颜色的反射、吸收和透过的情况不同，因此呈现不同的色彩。

在图2.5－1的色散实验中，如果在白屏前放置一块红色玻璃，则白屏上的其他颜色的光消失，只留下红色。这表明，其他色光都被红色玻璃吸收了，只有红光能够透过(图2.5–5甲)。如果在白屏前放置一块蓝色玻璃，则白屏上只呈现蓝色光。

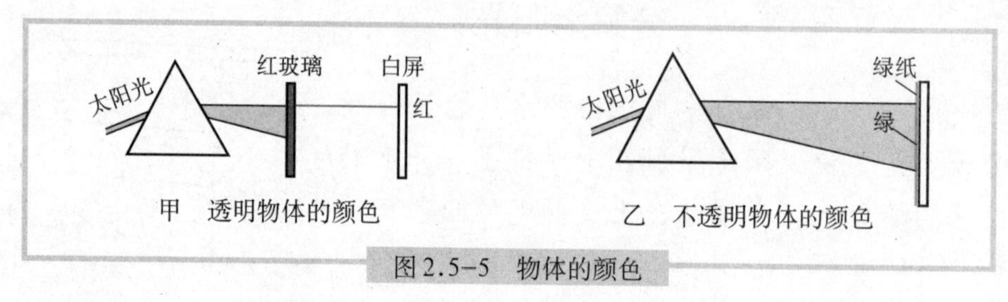

图 2.5–5 物体的颜色

所以，**透明物体的颜色由通过它的色光决定。**

在图2.5－1的色散实验中，如果把一张红纸贴在白屏上，则在红纸上看不到彩色光带，只有被红光照射的地方是亮的，其他地方是暗的；如果把绿纸贴在白屏上，在屏上只有绿光照射的地方是亮的(图2.5－5乙)。

这表明，**不透明物体的颜色是由它反射的色光决定的。**

探究

色光的混合与颜料的混合

●提出问题

颜料混合的规律与色光混合的规律是不是相同？

●设计实验和进行实验

分别用红色和蓝色的透明塑料片挡在两只手电筒的前面，观察它们射出的红光与蓝光在白墙上重叠部分的颜色。

再观察红、蓝颜料混合后的颜色。

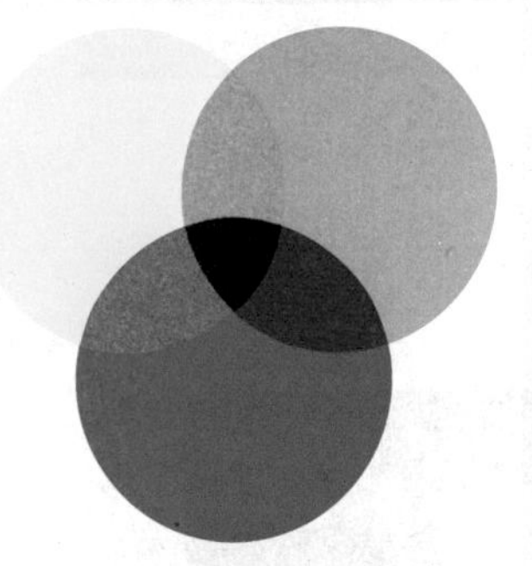

图2.5–6　颜料的三原色

●分析和论证

红、蓝颜料混合的颜色和红光、蓝光混合的颜色一样吗？

问问印刷行业的技术人员或者喜欢绘画的人，颜料的三原色是什么。

1. 用放大镜观察彩色电视机工作时的屏幕，对比发白光的区域和其他颜色的区域，看看红、绿、蓝三种色条的相对亮度有什么不同。

2. 如果一个物体能反射所有色光，则该物体呈现______色；如果一个物体能吸收所有色光，则该物体呈现_____色；如果一个物体能______所有色光，则该物体是无色透明的。

3. 在一张白纸上用红颜料写一个“光”字，把它拿到暗室。只用红光照射时，你将看到什么现象？只用绿光照射时，你又将看到什么现象？

4. 放电影用的银幕为什么做成白色的？

5. 在暗室里用红光照射一幅绚丽多彩的油画作品，将会看到什么现象？为什么？

六 看不见的光

前面已经提到，棱镜可以把太阳光分解成红、橙、黄、绿、蓝、靛、紫几种不同颜色的光。把它们按这个顺序排列起来，就是**光谱**(**spectrum**，图2.6−1)。

图2.6−1 一种光谱。在红光之外是红外线，紫光之外是紫外线，人眼都看不见。

红外线

太阳的能量以光的形式辐射到地球，如果把非常灵敏的温度计放到棱镜下面，让光照射，能够检测到温度的上升。值得注意的是，在光谱上红光以外的部分，温度也会上升，说明这里也有能量辐射，不过人眼看不见，我们把这样的辐射叫做**红外线**(**infrared ray**)。

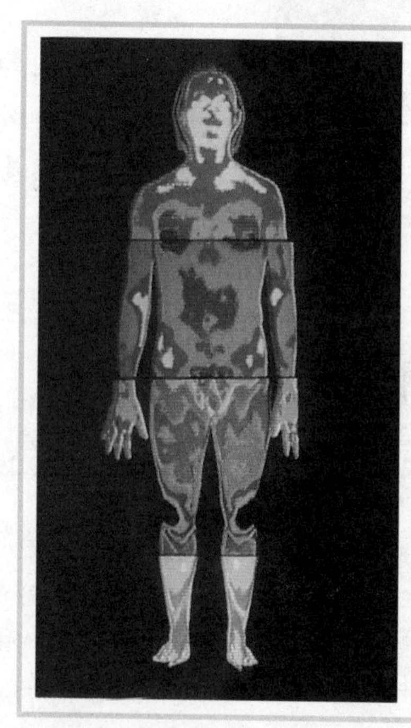

图2.6−2 用红外胶片拍出的“热谱图”。图中的颜色是制图时加上的，不同的颜色表示不同的温度。

一个物体，当它的温度升高时，尽管看起来外表还跟原来一样，但它辐射的红外线却大大增强。人体生病的时候，局部皮肤的温度异常，如果在照相机里装上对红外线敏感的胶片，给皮肤拍照并与健康人的照片(图2.6-2)对比，有助于对疾病做出诊断。夜间人的体温比野外草木、岩石的温度高，人辐射的红外线比它们强，人们根据这个原理制成了红外线夜视仪，可以用在步枪的瞄准器上。

红外线还可以用来进行遥控。电视机遥控器的前端有一个发光二极管，按下不同的键时，可以发出不同的红外线，来实现电视机的遥控。

紫外线

在光谱的紫端以外，也有一种看不见的光，叫做**紫外线(ultraviolet ray)**。紫外线也和人类生活有非常重要的关系。

图2.6-3　紫外线使钞票上的荧光物质发光

适当的紫外线照射有助于人体合成维生素D，维生素D能促进身体对钙的吸收，对于骨骼的生长和身体健康的许多方面都有好处。紫外线能杀死微生物。在医院的手术室、病房里，常可以看到用紫外线灯来灭菌。

紫外线能使荧光物质发光。钞票或商标的某些位置用荧光物质印上标记，在紫外线下识别这些标记，这是一种有效的防伪措施(图2.6-3)。

> 紫外线灯看起来是淡蓝色的，那是因为除了紫外线外，它还发出少量蓝光和紫光。紫外线本身是看不见的。

过量的紫外线照射对人体十分有害，轻则使皮肤粗糙，重则引起皮肤癌。这点要引起我们注意。

太阳光是天然紫外线的最重要来源。如果太阳辐射的紫外线全部到达地面，地球上的植物、动物和人类都不可能生存。地球的周围包围着厚厚的大气层，阳光中的紫外线大部分被大气层上部的臭氧层吸收，不能到达地面。

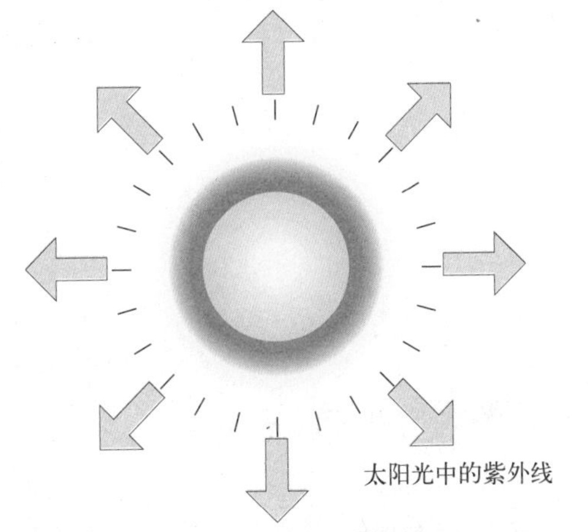

图2.6-4　目前臭氧层正在受到空调、冰箱里面逸出的氟利昂等物质的破坏，臭氧层出现了“空洞”。

科学世界

光的散射与雾灯

我们能够看到太阳，这是因为太阳发出的光进入了我们的眼睛。白天，太阳高悬在头顶，但是，整个天空都是明亮的，这是为什么？原来，地球周围的大气能够把阳光向四面八方散射，所以眼睛才会接收到各个方向射来的光。人造卫星、宇宙飞船飞行在大气层外，由于没有大气的散射，尽管直射的阳光十分耀眼，其他方向的天空却是黑暗的，因此宇航员能够看到一种奇特的景象：太阳与繁星同时出现在天空。

大家都见过水波，光也是一种波。不同颜色的光的波长不同，依照红、橙、黄、绿、蓝、靛、紫的顺序，它们的波长一个比一个短。

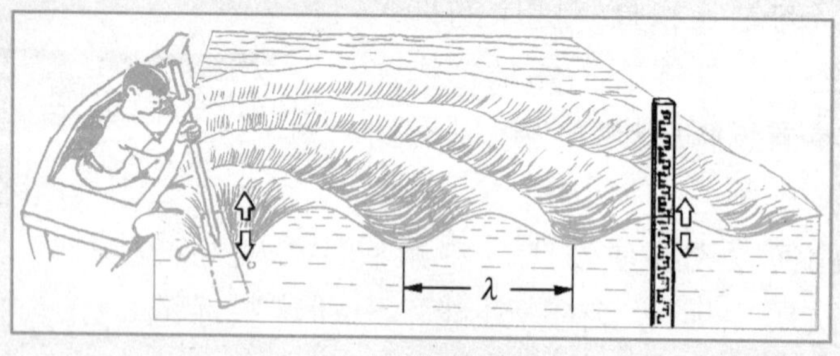

水波的波长

大气对光的散射有一个特点：波长较短的光容易被散射，波长较长的光不容易被散射。天空是蓝色的，这是因为大气对阳光中波长较短的蓝光散射得较多。傍晚的太阳颜色发红，这是因为傍晚的阳光要穿过厚厚的大气层，蓝光、紫光大部分被散射掉了，剩下红光、橙光透过大气射入我们的眼睛。

大雾弥漫时，汽车必须开亮雾灯才能保证安全。汽车雾灯用的是黄光，这也跟散射有关。

雾灯的光应该不容易被空气散射，这样才有较强的穿透作用，才能让更远处的人看到。蓝光、紫光容易被大气散射，在空气中传不远，雾灯不能选用蓝色、紫色。

红光不容易被散射，在空气中可以传播较长的距离，为什么不用红光呢？原来，人眼对红光的敏感程度不如黄光、绿光，而绿色表示可以安全通行，所以，雾灯的颜色最后选用了黄光。

黄光不仅用在汽车雾灯上。在十字路口，到深更半夜红绿灯停用时，就靠中央不停闪烁的黄光，来提醒驾驶员注意观察，安全驶过路口。此外，铁路上的巡道工、夜间在街道上工作的清洁工，身上都穿黄色工作服，或系黄色腰带，这也是为了引起远处司机的注意，确保安全。

1．在家里和商场里进行调查，看看有哪些器具（例如烤箱、浴室取暖灯……）应用了红外线。

2．在家里和商场里进行调查，看看有多少种防紫外线的用品(防晒霜、防晒伞……)。通过售货员、说明书等了解它们防紫外线的原理。根据你的判断，所宣传的防紫外线功能中有多少是可信的？

3．收集报刊和科普读物上关于臭氧层空洞的信息，写一篇环保方面的报告，内容包括臭氧层空洞的成因、解决办法、目前的进展等。可以参考后面第四章第三节的相关内容。

我还想知道

★ 为什么通过光缆能够观看有线电视？

★ ______

★ ______

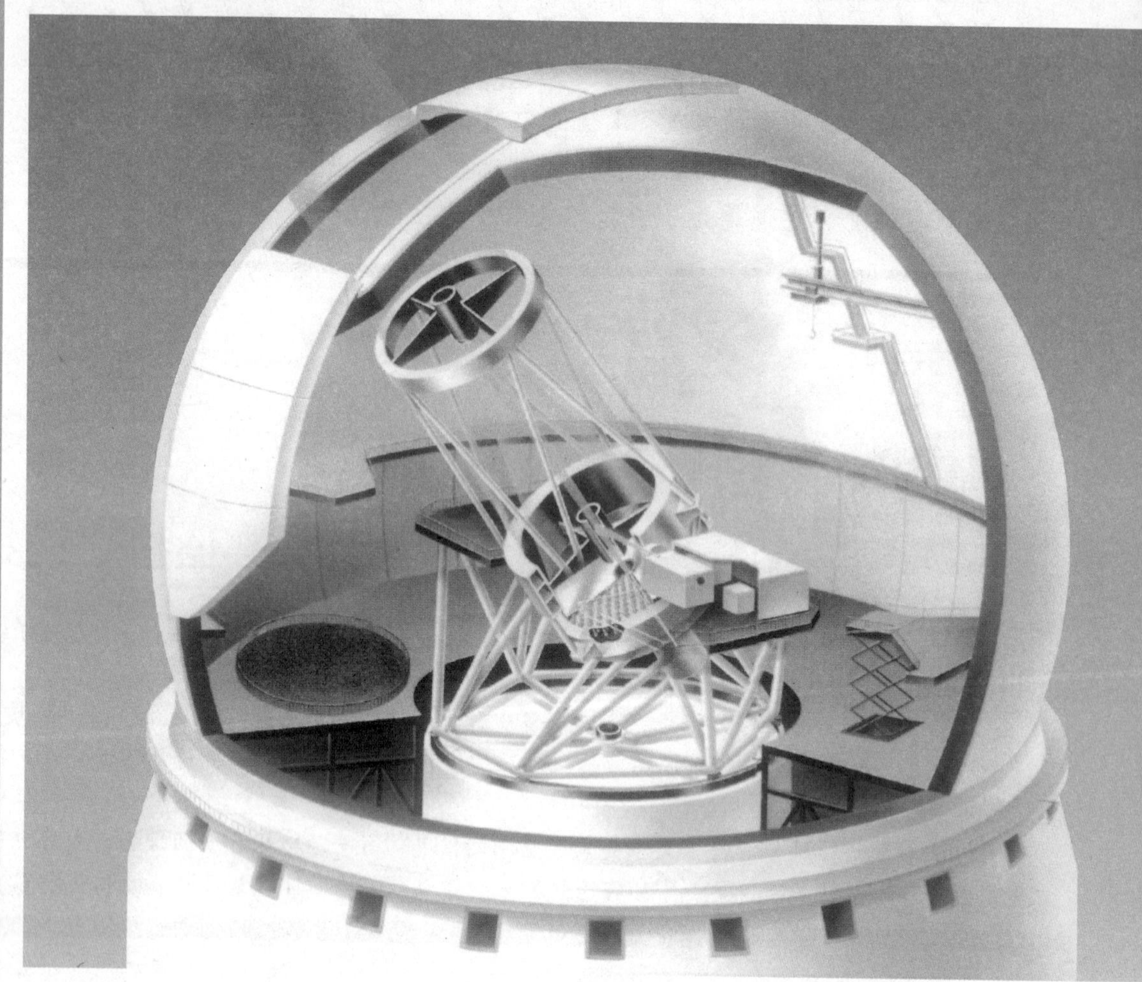

▲ 圆顶室中的大型反射式天文望远镜（模拟图）

阅读指导

学过本章以后，你就会明白以下问题。

一、透镜

凸透镜对光有什么作用？凹透镜对光有什么作用？什么是凸透镜的焦点、焦距？

二、生活中的透镜

照相机为什么可以照相？

投影仪怎样把物体放大？

放大镜怎样把物体放大？

第三章
透镜及其应用

世界有多大？宇宙是什么样的？这些亘古以来就困惑着人类，并一直为人类所探究不止的问题，一定也经常萦绕在你的心头。人类怎样才能解开这个疑团呢？科学家们正在使用的一种方法就是，利用巨大的天文望远镜来观察、接收来自宇宙的信息。通过对这些信息的分析，人们对宇宙了解得越来越多了。

生活中人们经常使用照相机、放大镜、投影仪、望远镜等光学仪器。用照相机拍照，可以把瞬间情景留为永恒的记忆；用投影仪来放大投影片，可以使教室里的所有同学同时看到投影片上的图画；医院化验室的医生，在显微镜下可以看见血液中的各种细胞。这些光学仪器与我们的生活息息相关。

打开这些常用的光学仪器可以发现，它们的主要部件都是透镜。

这一章我们就来学习透镜的知识。

三、探究凸透镜成像的规律

凸透镜在什么情况下成缩小的像，什么情况下成放大的像？什么情况下像才是正立的？什么是实像？

四、眼睛和眼镜

眼睛是怎样看见物体的？为什么眼镜能矫正视力？

五、显微镜和望远镜

显微镜的结构是怎样的？望远镜的结构又是怎样的？显微镜和望远镜的结构有什么共同特征？

透镜

眼镜在生活中很常见，它们可以帮助人们矫正视力、保护眼睛。近视眼镜和远视眼镜的镜片都是**透镜**(**lens**)。

凸透镜和凹透镜

如果仔细观察，你会发现不同镜片的中间和边缘的厚薄不一样。远视镜片中间厚、边缘薄，叫做**凸透镜**(**convex lens**，图3.1−1甲)；近视镜片中间薄、边缘厚，叫做**凹透镜**(**concave lens**，图3.1−1乙)。

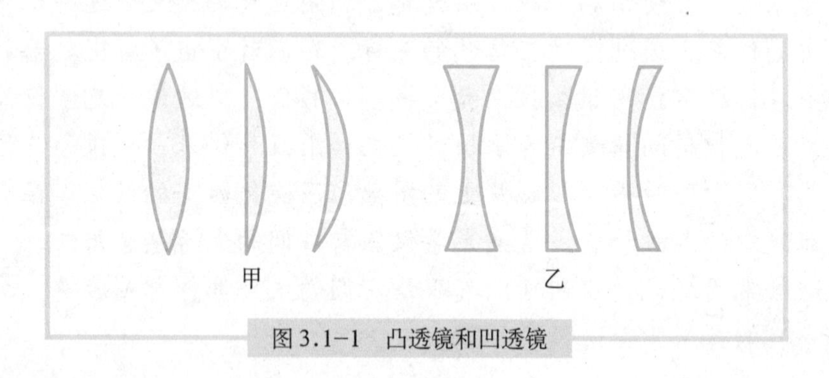

图 3.1−1 凸透镜和凹透镜

镜片的两个表面(或至少一个表面)是球面的一个部分。图3.1−2是凸透镜和凹透镜的示意图。透镜上通过两个球心的直线CC'叫做主光轴，简称主轴。每个透镜主轴上都有一个特殊点：凡是通过该点的光，其传播方向不变，这个点叫**光心**(**optical center**)。

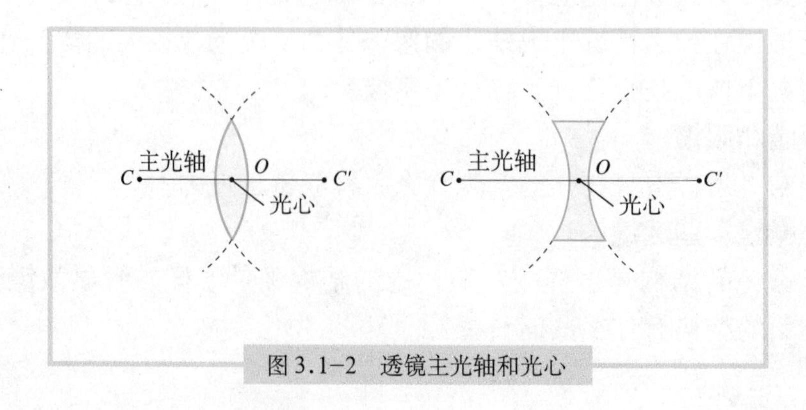

图 3.1−2 透镜主光轴和光心

透镜对光的作用

演示　透镜对光的作用

1.让一束跟透镜主轴平行的光射向凸透镜，观察它的折射光线(图3.1－3甲)。

2.让一束跟透镜主轴平行的光射向凹透镜，观察它的折射光线(图3.1－3乙)。

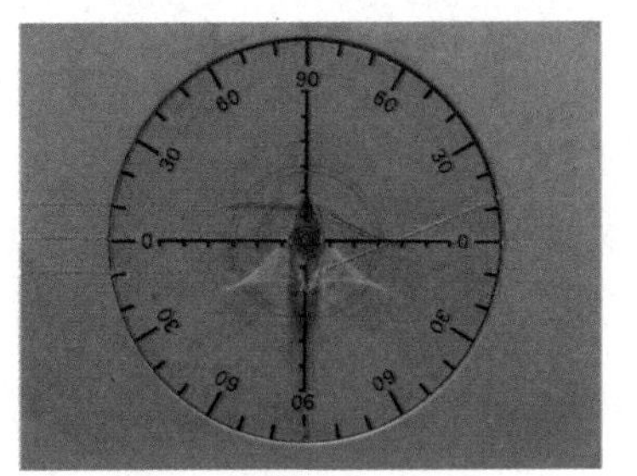

甲　凸透镜对光的作用

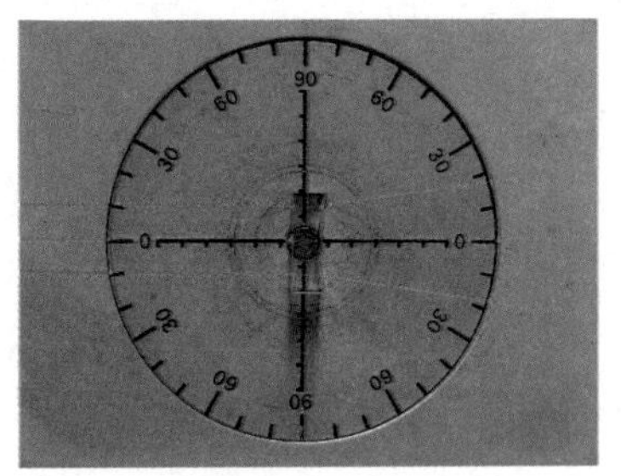

乙　凹透镜对光的作用

图 3.1−3

实验表明，**凸透镜对光有会聚作用，凹透镜对光有发散作用。**

焦点和焦距

射到地面的太阳光可以看作是互相平行的，叫做平行光。实验表明，凸透镜能使平行于主光轴的光会聚在一点(图3.1−4)，这个点叫做**焦点**(**focus**)，焦点到光心的距离叫做**焦距**(**focal length**)。

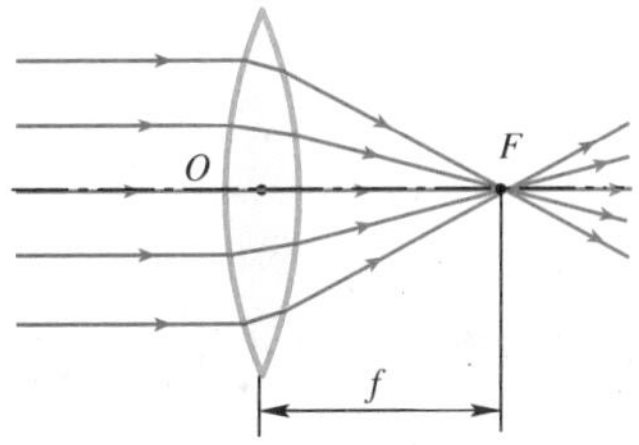

图 3.1−4　凸透镜的焦点 F 和焦距 f

演示

拿一个凸透镜正对着太阳光，再把一张纸放在它的另一侧，改变透镜与纸的距离，直到纸上的光斑变得最小、最亮(图3.1−5)。

测量这个最小、最亮的光斑到凸透镜的距离，记录下来。

换另一个凸透镜，重做上面的实验。

再换一个凹透镜，重做上面的实验。纸上能够得到很小、很亮的光斑吗？

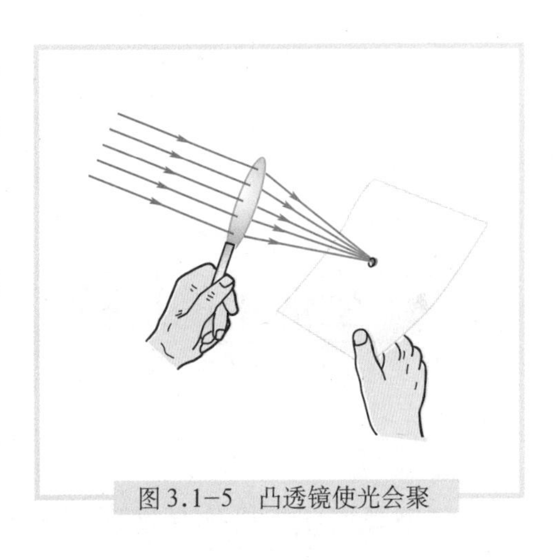

图 3.1−5　凸透镜使光会聚

1. 怎样可以测得凸透镜的焦距？拿一两个凸透镜试一试。

2. 如图3.1–6，*A*、*B*是两个口径相同的凸透镜，它们的焦距分别是3 cm和5 cm。按照实际尺寸画出平行光经过它们之后的径迹。哪个凸透镜使光偏折得更多些？

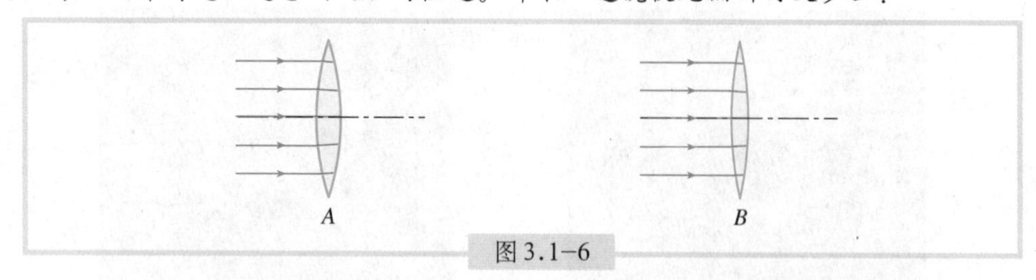

图3.1–6

3. 要想利用凸透镜使小灯泡发出的光变成平行光，应该把小灯泡放在凸透镜的什么位置？试试看。你在解决这个问题的时候实际上利用了前面学过的什么道理？

4. 一束光通过透镜的光路如图3.1–7所示，哪幅图是正确的？

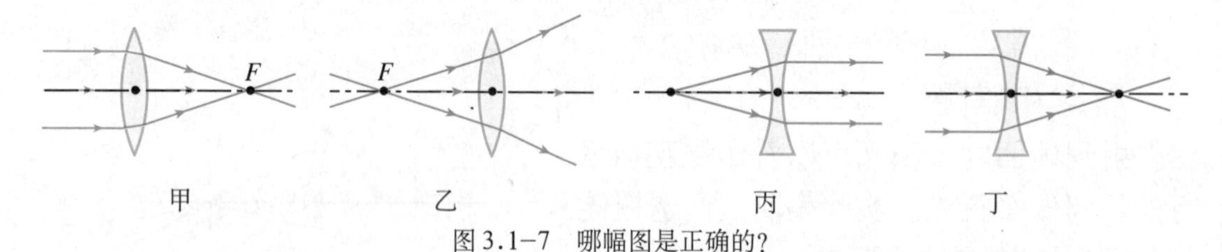

图3.1–7　哪幅图是正确的？

5. 根据入射光线和折射光线，在图3.1–8中的虚线框内画出适当类型的透镜。

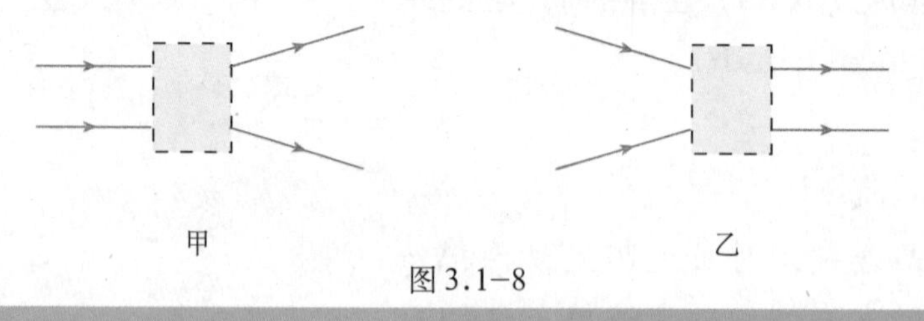

图3.1–8

二　生活中的透镜

照相机

仔细观察照相机你会发现，所有照相机的前面都有一个镜头，镜头就相当于一个凸透镜。来自物体的光经过照相机镜头后会聚在胶卷上，形成被照物体(人、影物)的像（图3.2−1甲）。胶卷上涂着一层对光敏感的物质，它在曝光后发生化学变化，物体的像就被记录在胶卷上，经过显影、定影后成为底片，再用底片洗印就可以得到相片。

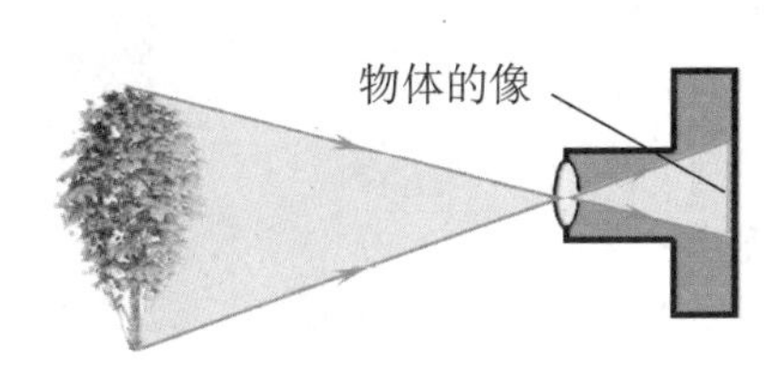

甲　照相机原理

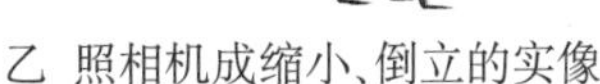

乙 照相机成缩小、倒立的实像

图 3.2−1

照相时，物体离照相机镜头比较远，像是缩小、倒立的(图3.2−1乙，人站立时头在上面，而像的头在下面)。

制作模型照相机

用硬纸板做两个粗细相差很少的纸筒，使一个纸筒能够套入另一个(图3.2−2)，在一个纸筒的一端嵌上一个焦距5～10 cm的凸透镜，另一个纸筒的一端蒙上一层半透明纸(或塑料薄膜)。这样就做成了模型照相机。

在较暗的室内，把凸透镜对着明亮的室外，拉动纸筒，改变透镜和半透明纸间的距离，就可以在半透明纸上看到室外景物清晰的像。如果把半透明纸换成感光胶片，就可以得到照相底片了。

观察时请注意，半透明纸上的人像是不是头朝下的倒像？

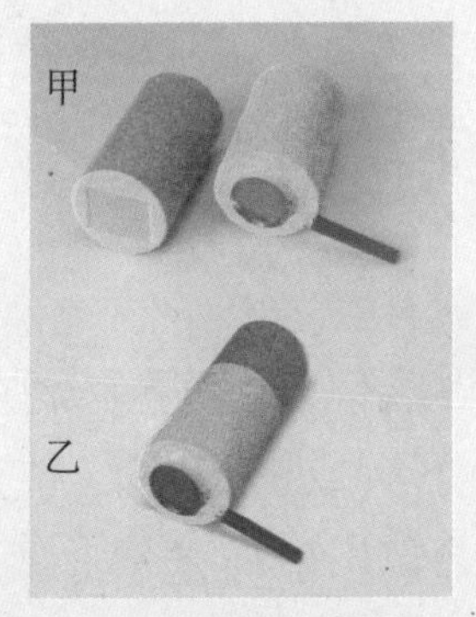

图 3.2−2　自制模型照相机

图 3.2−3　一种照相机

投影仪

投影仪(图3.2－4)也是利用凸透镜来成像的。

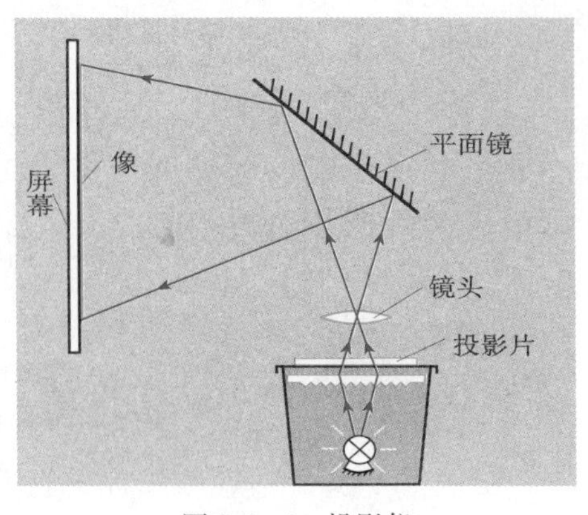

图3.2-4 投影仪

演示

把投影仪上的平面镜(反光镜)取下，投影片放到载物台上。调节镜头，在天花板上就能得到投影片上图案清晰的像。观察像的大小、正倒。

图3.2-5 把这张投影片放在投影仪的载物台上，可以显示像的大小和正倒。

投影仪上有一个相当于凸透镜的镜头，来自投影片上图案(物体)的光，通过凸透镜后会聚在天花板上，形成图案的像。物体离投影仪镜头比较近，像是放大、倒立的。

平面镜的作用是改变光的传播方向，使得射向天花板的光能在屏幕上成像。

放大镜

放大镜就是一个凸透镜，是最常用的光学仪器之一。把放大镜放在物体跟眼睛之间，适当调整距离，我们就能看清物体的细微之处。放大镜所成的像是放大、正立的。

图3.2-6 放大镜的作用

实像和虚像

照相机和投影仪所成的像，是光通过凸透镜射出后会聚在那里所成的，如果把感光胶片放在那里，真的能记录下所成的像。这种像叫做**实像**(**real image**)。既然实像是来自物体的光通过凸透镜出射后会聚而成的，所以物体和实像分别位于凸透镜的两侧。

演示　凸透镜成实像

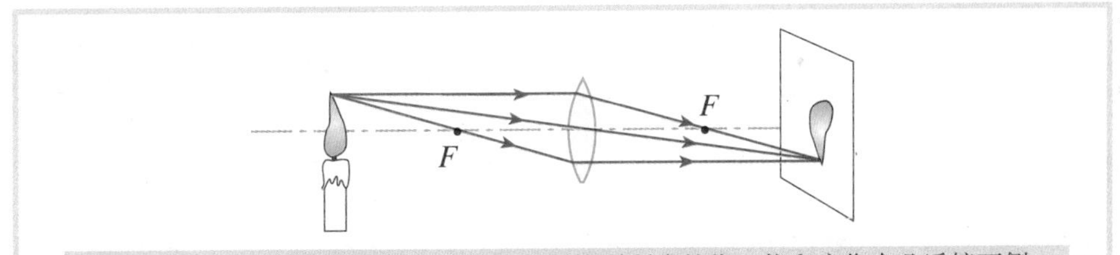

图 3.2–7　凸透镜成实像情景：光屏能承接到所成的像，物和实像在凸透镜两侧。

平面镜所成的像是虚像，放大镜所成的像也是虚像。凸透镜成虚像时，通过凸透镜出射的光没有会聚，只是人眼逆着出射光的方向看去，感到光是从放置物体那一侧成虚像处发出的，所以物体和虚像位于凸透镜的同侧。

演示　凸透镜成虚像

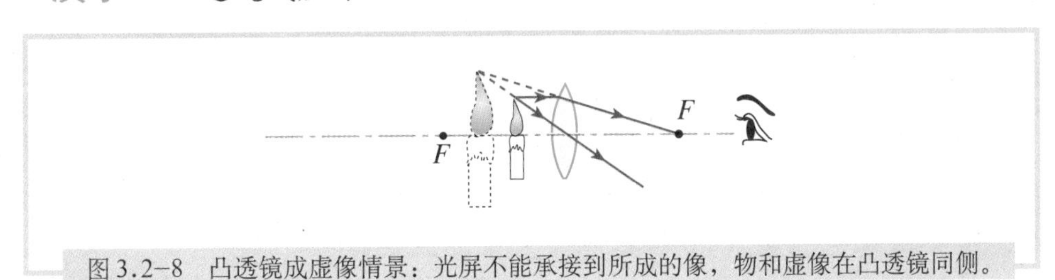

图 3.2–8　凸透镜成虚像情景：光屏不能承接到所成的像，物和虚像在凸透镜同侧。

动手动脑学物理

1.照相机的镜头相当于一个凸透镜，照片底片是照相时形成的像。判断图3.2－1中的树所成像的正倒。

2.凸透镜是许多光学仪器的重要元件，可以呈现不同的像。应用凸透镜，在照相机中成______、______立的______像；在投影仪中成______、______立的______像；而直接用凸透镜做放大镜时，成______、______立的______像。

3.手持一个凸透镜，在室内的白墙和窗户之间移动(离墙近些)，在墙上能看到什么？

4.用水彩笔在磨砂电灯泡的侧面画一个你所喜爱的图案(这时不要接通电源)，然后接通电源，拿一个凸透镜在灯泡和白墙之间移动，能不能在墙上得到所画图案的像？有几个位置可以使凸透镜在墙上成像？是实像还是虚像？像是放大的还是缩小的？是正立的还是倒立的？

三 探究凸透镜成像的规律

探究

照相机和投影仪都成倒立的实像，所不同的是：物体离照相机的镜头比较远，成缩小的像；物体离投影仪的镜头比较近，成放大的像。放大镜成放大、正立的虚像，物体要离放大镜比较近。可见，像的虚实、大小、正倒跟物体离凸透镜的距离(物距)有关系。

●提出问题

像的虚实、大小、正倒跟物距有什么关系呢？

●猜想

我们可以把物体放在距凸透镜较远的地方，然后逐渐移近，观察成像的情况。物距大到什么程度成实像，小到什么程度成虚像，大概不同的凸透镜会有不同，要有个参照的距离才便于研究。不同的凸透镜，焦距的大小不同。我们就用焦距f作为参照的距离。先把物体放在较远处，例如使物距$u>2f$，然后移动物体，使物距u在$2f$和f之间，即$2f>u>f$，最后使物距$u<f$。试试看，这样做能不能找出凸透镜成像的规律。

●设计实验

在阳光下或很远(例如5 m以外)的灯光下测定凸透镜的焦距。所选透镜的焦距最好在10～20 cm之间，太大或太小都不方便。用一支蜡烛作物体，研究烛焰所成的像。一块白色的硬纸板作屏，承接烛焰的像(图3.3–1)。

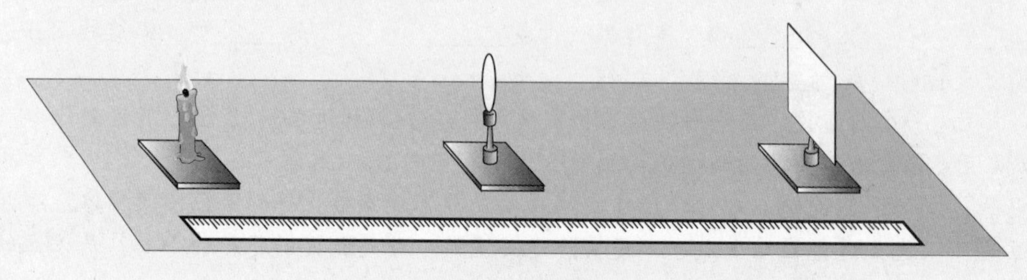

图3.3–1 探究凸透镜成像规律的装置

把蜡烛放在较远处，使物距$u>2f$，调整光屏到凸透镜的距离，使烛焰在屏上成清晰的实像。观察实像的大小和正倒。测出物距u和像距v（像到凸透镜的距离）。

把蜡烛向凸透镜移近，使物距在$2f$和f之间，即$2f>u>f$，重复以上操作，进行观察和测量。

●进行实验

继续移近蜡烛，使物距$u<f$。在屏上能得到蜡烛的像吗？怎样才能观察到蜡烛的像？是虚像还是实像？观察像的大小和正倒。测出物距u和像距v（像距只需估测）。

按上述计划操作，把数据和观察结果填入下表中。

凸透镜焦距$f=$　　cm

物距与焦距关系	物距 u/cm	像的性质			像距 v/cm
		实虚	大小	正倒	
$u>2f$					
$u>2f$					
$2f>u>f$					
$2f>u>f$					
$u<f$					
$u<f$					

分析上表的记录，找出凸透镜成像的规律。

●分析和结论

1．像的虚实：凸透镜在什么条件下成实像？在什么条件下成虚像？

2．像的大小：凸透镜在什么条件下成缩小的实像？在什么条件下成放大的实像？有没有缩小的虚像？

3．像的正倒：凸透镜所成的像有没有正立的实像？有没有倒立的虚像？

想想议议

查看上表的数据，凸透镜成放大的实像时，物距跟像距相比，哪个比较大？成缩小的实像时，物距跟像距相比，哪个比较大？由此你可以得出什么结论？

1. 照相机、投影仪、放大镜的成像都遵循凸透镜成像的规律，说一说它们分别应用了凸透镜成像的哪个规律。

2. 找一个圆柱形的玻璃瓶，里面装满水。把一支铅笔水平地放在水瓶的一侧，透过水瓶，可以看到那支笔。把笔由靠近水瓶的位置向远处慢慢地移动，透过水瓶你可以看到一个有趣的现象。描述这个现象。

与前面用凸透镜所做的实验相比，有什么共同之处？有什么不同？

3. 学习使用照相机，向有经验的人了解光圈、快门和调焦环的作用。“傻瓜相机”有没有光圈和快门？是不是需要“调焦”？

四 眼睛和眼镜

眼睛

你知道眼睛是如何看到物体的吗？

眼球好像一架照相机。晶状体和角膜的共同作用相当于一个凸透镜，它把来自物体的光会聚在视网膜上，形成物体的像。视网膜上的视神经细胞受到光的刺激，把这个信号传输给大脑，我们就看到了物体。眼睛通过睫状体来改变晶状体的形状：当睫状体放松时，晶状体比较薄，远处物体射来的光刚好会聚在视网膜上，眼球可以看清远处的物体；当睫状体收缩时，晶状体变厚，对光的偏折能力变大，近处物体射来的光会聚在视网膜上，眼睛就可以看清近处的物体（图3.4-2）。

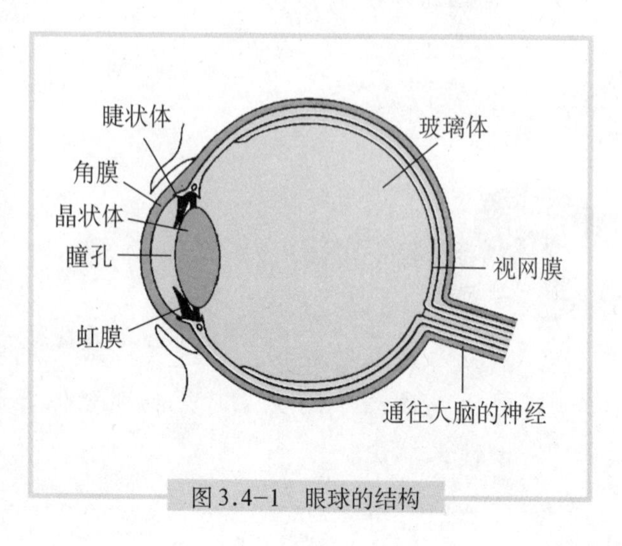

图 3.4-1 眼球的结构

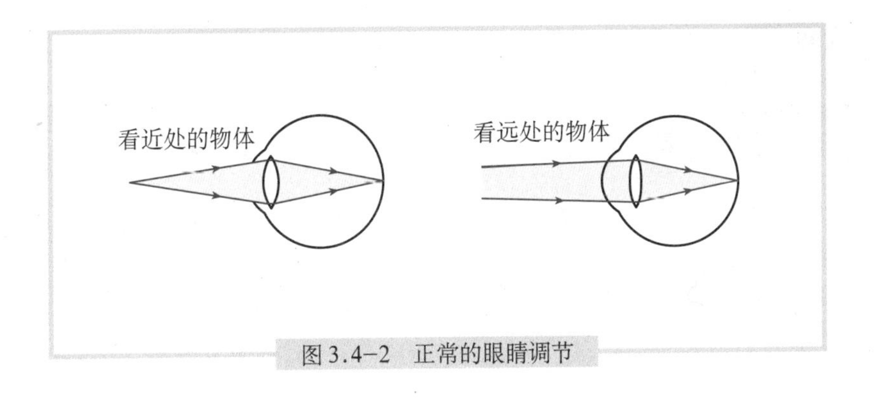

图 3.4-2　正常的眼睛调节

近视眼及其矫正

近视眼只能看清近处的物体，看不清远处的物体。产生近视眼的原因是晶状体太厚，折光能力太强，或者眼球在前后方向上太长，因此来自远处某点的光会聚在视网膜前，到达视网膜时已经不是一点而是一个模糊的光斑了(图3.4-3甲)。利用凹透镜能使光线发散的特点，在眼睛前面放一个凹透镜，就能使来自远处物体的光会聚在视网膜上(图3.4-3乙)。

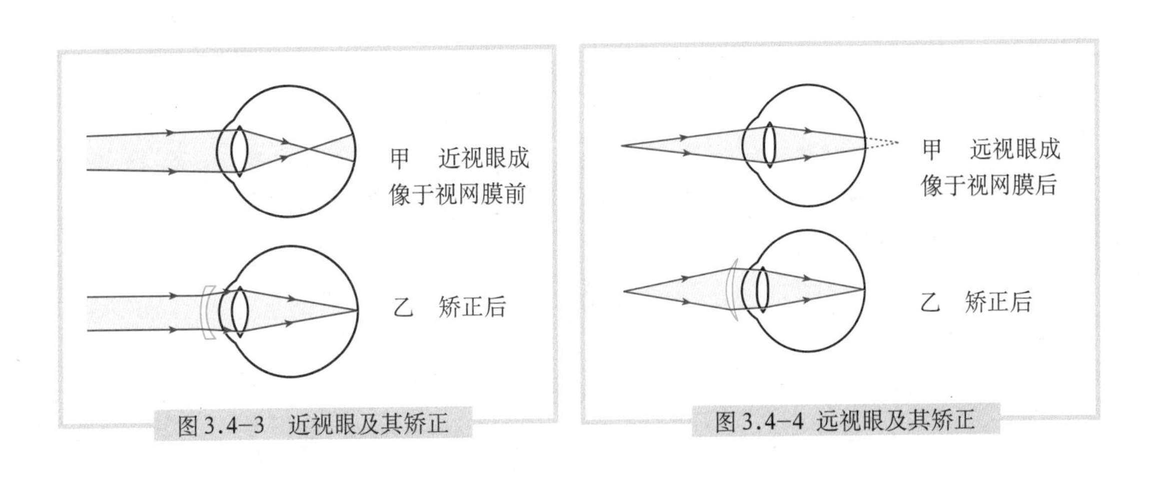

图 3.4-3　近视眼及其矫正

图 3.4-4　远视眼及其矫正

远视眼及其矫正

远视眼只能看清远处的物体，看不清近处的物体。产生远视眼的原因是晶状体太薄，折光能力太弱，或者眼球在前后方向上太短，因此来自近处一点的光还没有会聚成一点就到达视网膜了，在视网膜上形成一个模糊的光斑(图3.4-4甲)。利用凸透镜能使光会聚的特点，在眼睛前面放一个凸透镜，就能使来自近处物体的光会聚在视网膜上(图3.4-4乙)。人们上了年纪以后，眼睛睫状体对晶状体的调节能力减弱，近处、远处的物体都看不清楚。

1. 通过调节晶状体的凹凸程度，可以使远近不同的物体在视网膜上成清晰的像。眼睛调节的两个极限点叫做远点和近点。正常眼睛的远点在无限远，近点在大约10 cm处。

正常眼睛观察近处物体最清晰而又不疲劳的距离大约是25 cm，这个距离叫做明视距离。

预防近视眼的措施之一，就是读写时眼睛与书本的距离应保持在25 cm，这是为什么？

看书上的字，测出你的近点，和其他同学的近点比较一下。正常眼、近视眼、远视眼的近点相同吗？有什么规律？

2. 如果一束来自远处某点的光经角膜和晶状体折射后所成的像落在视网膜(选填"前""后")_______，这就是近视眼。矫正的方法是戴一副由_______透镜片做的眼镜。矫正前像离视网膜越远，所配眼镜的"度数"越_______。

3. 仔细观察近视眼镜和远视眼镜，它们有什么不同？度数深的和度数浅的有什么不同？

你能鉴别一副老花眼镜的两个镜片的度数是否相同吗？说明方法和理由。

科学世界

眼镜的度数

透镜焦距f 的长短标志着折光本领的大小。焦距越短，折光本领越大。通常把透镜焦距的倒数叫做透镜焦度，用Φ表示，即

$$\Phi = \frac{1}{f}$$

如果某透镜的焦距是0.5 m，它的焦度就是

$$\Phi = \frac{1}{0.5\ \text{m}} = 2\ \text{m}^{-1}$$

如果远视很严重，眼镜上凸透镜的折光本领应该大一些，透镜焦度就要大一些。平时说的眼镜片的度数，就是镜片的透镜焦度乘100的

值。例如，100度远视镜片的透镜焦度是1 m^{-1}，它的焦距是1 m。

凸透镜(远视镜片)的度数是正数，凹透镜(近视镜片)的度数是负数。

回答以下问题

1.+300度和−200度的眼镜片，哪个是远视镜片？它的焦度是多少，焦距是多少？

2.取一副老花眼镜，测定它的两个镜片的度数。

五　显微镜和望远镜

显微镜

一般的放大镜，放大的倍数有限，要想看清楚动植物的细胞等非常小的物体，就要使用显微镜。

显微镜镜筒的两端各有一组透镜，每组透镜的作用都相当于一个凸透镜，靠近眼睛的凸透镜叫做目镜，靠近被观察物体的凸透镜叫做物镜(图3.5−1)。

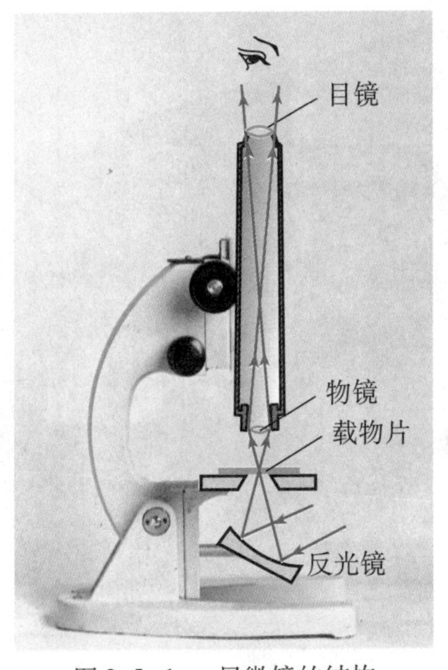

图3.5−1　显微镜的结构

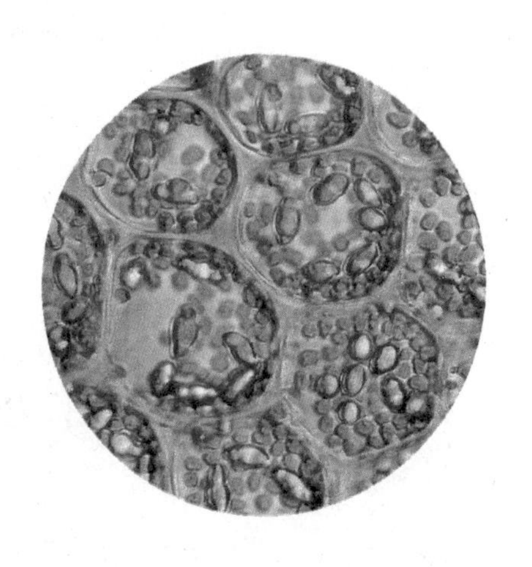

图3.5−2　显微镜下的植物细胞

来自被观察物体的光经过物镜后成一个放大的实像，道理就像投影仪的镜头成像一样；目镜的作用则像一个普通的放大镜，把这个像再放大一次。经过这两次放大作用，我们就可以看到肉眼看不见的小物体了。

望远镜

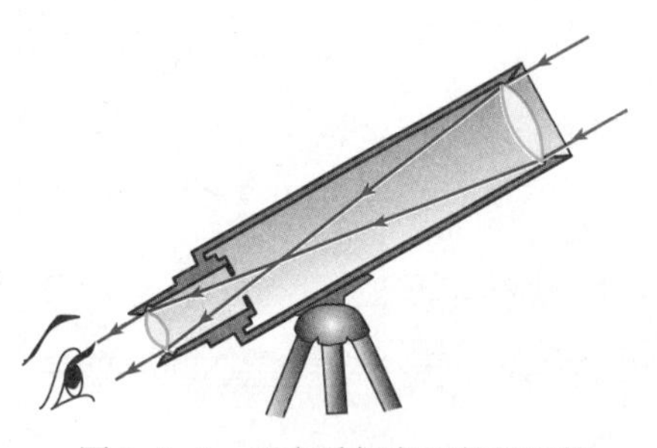

图 3.5–3 天文爱好者用的望远镜

有一种望远镜也是由两组凸透镜组成的。靠近眼睛的叫做目镜，靠近被观测物体的叫做物镜(图3.5–3)。

物镜的作用是使远处的物体在焦点附近成实像，目镜的作用相当于一个放大镜，用来把这个像放大。

有的同学可能会有疑问：物体距离物镜很远，它的像却离物镜很近，根据前面探究的结果，这样所成的像是缩小的！为什么使用望远镜观察物体时会感到物体被放大了？

原来，我们能不能看清一个物体，它对我们的眼睛所成“视角”(图3.5–3)的大小十分重要。望远镜的物镜所成的像虽然比原来的物体小，但它离我们的眼睛很近，再加上目镜的放大作用，视角就可以变得很大。

望远镜物镜的直径比我们眼睛的瞳孔大得多，这样它可以会聚更多的

图3.5–4 物体对眼睛所成视角的大小不仅和物体本身的大小有关，还和物体到眼睛的距离有关。

图 3.5–5 哈勃空间望远镜。把天文望远镜安置在大气层外，可以免受大气层的干扰，得到更清晰的天体照片。

光，使得所成的像更加明亮。这一点在观测天空中的暗星时非常重要。现代天文望远镜都力求把物镜的口径加大，以求观测到更暗的星。

除了凸透镜外，天文望远镜也常用凹面镜作物镜(参见第二章第三节的“科学世界”)。

1.如图3.5－6所示，把一滴水滴在玻璃板上，在玻璃板下面放置一个用眼睛看不清楚的小物体。可以看到水滴就是一个放大镜。如果还看不清小物体，再拿一个放大镜位于水滴的上方。慢慢调节放大镜与水滴之间的距离，你就可以看清玻璃板下的微小物体！

2.取两个焦距不同的放大镜，一只手握住一个，通过两个透镜看前面的物体(如图3.5－7)。调整两个放大镜间的距离,直到看得最清楚为止。物体是变大了还是变小了？把两个放大镜的位置前后对调，你有什么新的发现？

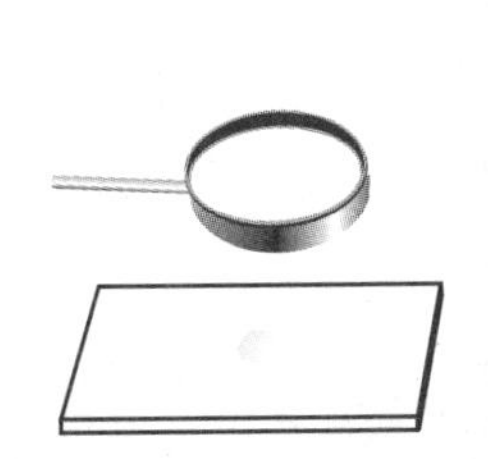
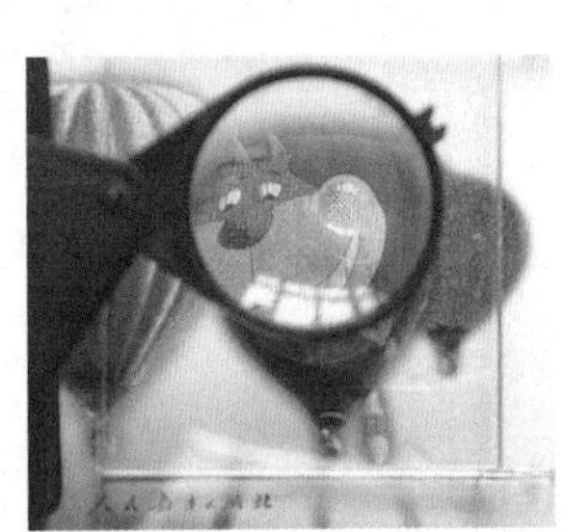

图3.5−6 自制显微镜

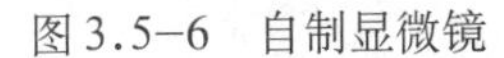

图3.5−7 自制望远镜

我还想知道

★ 为什么用放大镜看物体时，物体的形状会改变？

★ ______

★ ______

形态各异的物质世界

雾　凇

第四章　物态变化

初冬。一夜之间，小城变成了冰清玉洁的银色世界。落光了叶子的树枝上挂满了毛茸茸、亮晶晶的银条，在阳光下，耀人眼目。树上的枝条在风中摇曳，不时飘下点点冰晶，宛如晨雾漫卷……

自然界中这样奇特的现象举不胜举，真可谓千姿百态。那么你知道物质有哪几种状态，这些状态之间如何转化吗？让我们一起来探知这形态各异的物质世界吧。

阅读指导

学过本章以后，你就会明白以下问题。

一、温度计

怎样测量温度？

二、熔化和凝固

液态和固态之间的状态变化有什么特点？熔化与凝固时是否吸热或放热？

三、汽化和液化

气态和液态之间的状态变化有什么特点，蒸发与沸腾现象各有什么特征？汽化与液化时是否吸热或放热？

四、升华和凝华

什么是升华？什么是凝华？

一 温度计

我们把物体的冷热程度叫做温度。日常生活中，人们常常凭感觉判断物体的冷热。这种感觉绝对可靠吗？

想想做做

如图4.1－1，先把两只手分别放入热水和冷水中，然后，先把左手放入温水中，再把右手放入温水中。两只手对“温水”的感觉相同吗？

图4.1－1 只凭感觉判断温度可靠吗？

温度计

要准确地判断和测量温度，就要选择科学的测量工具——**温度计(thermometer)**。

演示 自制温度计

在小瓶里装一些带颜色的水。给小瓶配一个橡皮塞，橡皮塞上插进一根细玻璃管，使橡皮塞塞住瓶口，如图4.1–2。

将小瓶放入热水中，观察细管中水柱的位置，然后再把小瓶放入冷水中，观察水柱的位置。

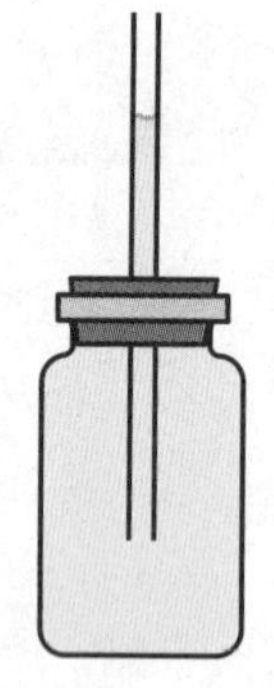
图4.1–2

家庭和实验室里常用的温度计是根据液体热胀冷缩的规律制成的，里面的液体有的用酒精，有的用水银。图4.1–3是各种常用的温度计(甲为实验室用温度计；乙为体温计；丙为寒暑表)。

摄氏温度

温度计上的字母C或°C的意思是，它所表示的是摄氏温度。 在一个大气压下冰水混合物的温度是0摄氏度，沸水的温度是100摄氏度，分别用0 °C和

100 °C表示。0 °C和100 °C之间有100个等份，每个等份代表1摄氏度。例如，人的正常体温是“37 °C”左右(口腔温度)，读做“37摄氏度”；北京一月份的平均气温是“−4.7 °C”，读做“负4.7摄氏度”或“零下4.7摄氏度”。

下表是自然界的一些温度，你能将括号中的空白填上吗？

小资料

自然界的一些温度/°C

氢弹爆炸中心达	5×10^7	铅的熔点	328	冰箱最低温度	(　　)
太阳表面	约6 000	焊接用烙铁	达250	水银凝固点	−39
钨的熔点	3 410	高压锅内的沸水	(　　)	我国最低气温	(　　)
白炽灯泡灯丝	达2 500	水的沸点	100	地球表面最低气温	−88.3
铁的熔点	1 535	酒精沸点	78	酒精凝固点	−117
煤气灯火焰	约1 100	地球表面最高气温	63	液态氧沸点	−183
金的熔点	1 064	人的正常体温	(　　)	液态氢沸点	−253
火柴的火焰	约800	水的凝固点	0	绝对零度	−273.15

温度计的使用

使用温度计时，首先要看清它的**量程**，或者说要看清它所能测量的最高温度和最低温度的温度范围；然后看清它的**分度值**，也就是一个小格代表的值。这样才能正确测量所测的温度，并且不会损坏温度计。

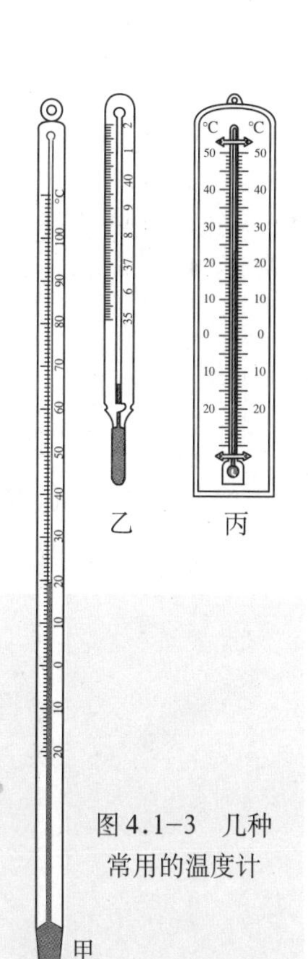

图4.1-3　几种常用的温度计

想想议议

1. 如果所测的温度过高或过低，超出了温度计所能测量的最高温度、最低温度，会出现什么后果？

2. 观察寒暑表、体温计和实验室用的温度计，它们所能测量的最高温度、最低温度和分度值各是多少？为什么这样设计它们的量程和分度值？

> 使用任何一种测量工具时，都要首先了解它的零刻度、量程和分度值。

在使用温度计测量液体的温度时，正确的方法如下。

1. 温度计的玻璃泡全部浸入被测的液体中，不要碰到容器底或容器壁。

2. 温度计玻璃泡浸入被测液体后要稍候一会儿，待温度计的示数稳定后再读数。

3. 读数时温度计的玻璃泡要继续留在液体中，视线要与温度计中液柱的上表面相平。

测量液体温度时，下面的哪些做法是正确的？错误的做法错在哪里？

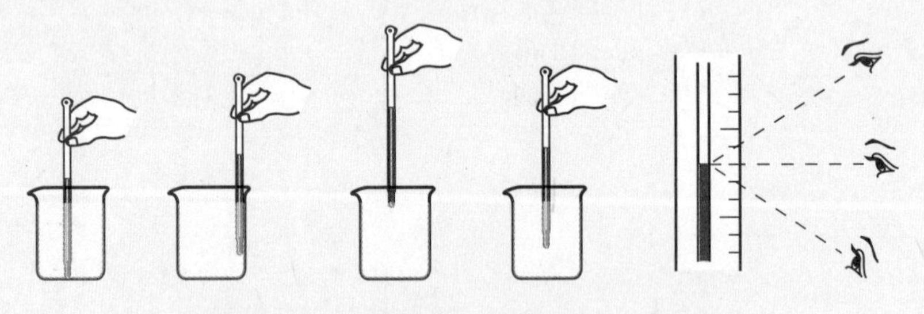

图 4.1-4 使用温度计时常见的几种做法

讨论一下，使用温度计时还可能发生什么错误？

体温计

体温计用于测量人体温度。读数时，要把它从腋下或口腔中拿出来，这时它下面玻璃泡的温度会降低；为了使它的读数仍能代表体温，必须作特殊的设计，这就是玻璃泡和直玻璃管之间很细的细管(图4.1-5)。

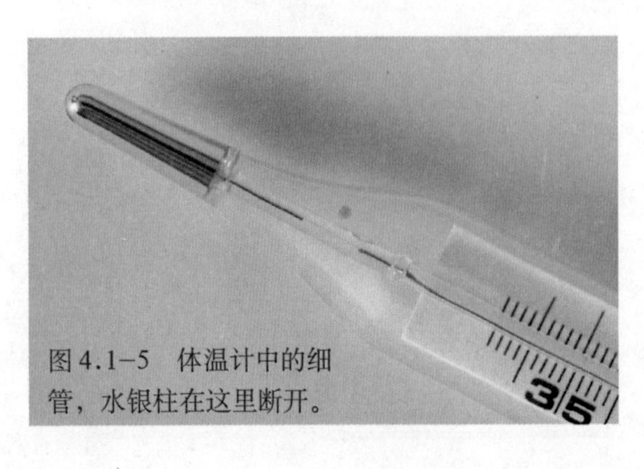

图 4.1-5 体温计中的细管，水银柱在这里断开。

测体温时，玻璃泡内的水银随着温度升高，发生膨胀，通过细管挤到直管；当体温计离开人体时，水银变冷收缩，细管内的水银断开，直管内的水银不能退回玻璃泡内，所以它表示的仍然是人体的温度。每次使用前，都要拿着体温计把水银甩下去(其他温度计不允许甩)。

科学世界

从体温计说起

我们看病的时候常要检查体温，实际上人体各部分的温度并不一样。皮肤的温度较低，越往体内深处温度越高。人体表面和四肢的温度容易受环境影响，波动范围很大，例如皮肤的温度大约在20～40 ℃之间。内脏的温度与内脏的工作情况有关，肝脏的温度接近38 ℃，是体内温度最高的地方，肾脏、胰腺、十二指肠的温度要低一些，肺的温度更低。血液在身体内部不断流动，流经温度较高的器官时，可以把热量带走，带给温度较低的器官。血液是调节体内温度的重要媒介。

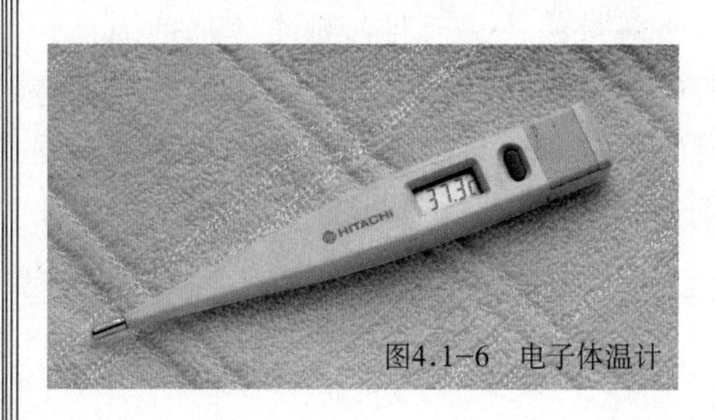

图4.1-6　电子体温计

医生检查病人的体温时，常选三个地方的温度：直肠温度正常时为36.9～37.9 ℃；口腔舌下温度正常时为36.7～37.7 ℃；腋窝的温度正常时为36.0～37.4 ℃。直肠温度最稳定，但是腋窝温度测量起来最方便。

用测体温来诊断疾病的方法是1858年德国医生冯德利希创造出来的：让病人用嘴含着水银温度计，他不时低头去看上边的温度。他不敢叫病人把温度计拿出来，因为温度计出来一遇冷空气，指示的温度就降下来了。后来，英国医生阿尔伯特想出了一个好办法：在温度计的水银管里造一处狭道。这样，体温计放在嘴里水银柱可以上升到实际体温处，取出体温计以后水银柱并不下落，而是在狭道那里断开，使狭道以上的部分始终保持体温读数。这样便诞生了专用的体温计。

随着电子技术的发展，20世纪70年代出现了电子体温计：把体温计的探头放到患者的腋下，立刻显示出体温。现在的电子体温计是用液晶数码来显示体温，有的可以精确到小数点以后两位数字。

1980年前后，又出现了一种会讲话的体温计：把探头放到病人腋下，电子设备便能用语言来报告体温。后来又出现了“膜状液晶体温计”：测量体温时，将像纸一样的温度计贴在病人的额头上，两三秒钟后“纸”上出现显示病人体温的数字。体温正常时，数字呈绿色，低烧时是黄字，高烧时是红字。1988年初，我国又制成了新型电子呼吸脉搏体温计，利用它可以对医院中整个病区的病人进行遥测，把病人的体温、呼吸、脉搏情况存储到计算机里，实现医院测量的自动化。

温度的测量看起来简单，实际上在很多场合需要一些技巧。体温计只是一例。又如，炼铁时的温度高达1 000 °C以上，这时不能使用通常的温度计，因为玻璃会熔化，应该使用什么温度计呢？

1821年，人们发现两根不同的金属线组成的闭合环路中，如果有一个接头被加热，环路里就会发生电流，两个接头的温度差越大，电流越强。此后，有人根据这个道理造出了热电偶温度计，它能进入1 600 °C的高温炉里测温。辐射温度计也能测量上千摄氏度甚至上万摄氏度的高温。它是通过光学办法测定物体的辐射能，进而得知那个物体的温度。新式“非接触红外线温度计”又叫“测温枪”，只要把“枪口”对准待测物体，“枪尾”的显示屏里就能用数字直接报告那个物体的温度，这种奇妙的“手枪”可以测量−20~1 600 °C范围内的温度呢！

动手动脑学物理

1.图4.1−7中各个温度计的读数分别是多少？

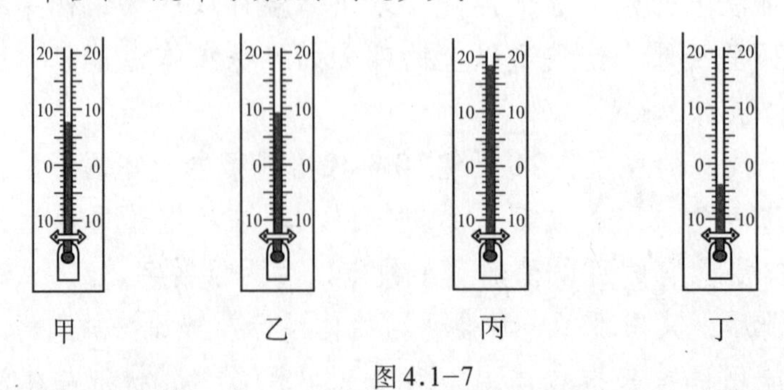

图4.1−7

2.给教室挂一只寒暑表，利用课间测出每个课间的温度。以横轴为时间、纵轴为温度，分别在图4.1−8上描点并画出一天的温度−时间图象。比较晴天、阴天的温度图象，你能看出这两天温度变化的规律吗？

日期/天气		第一节前	第二节前	第三节前	第四节前	第五节前	第六节前
	温度/°C						
	温度/°C						

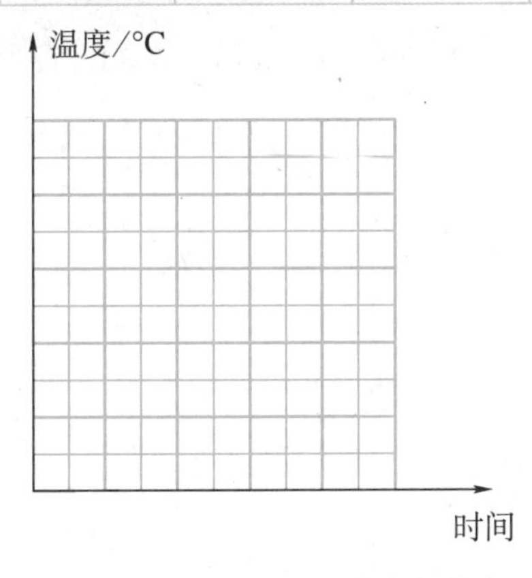

图4.1–8 你的时间–温度变化曲线

图 4.1–9　指针式寒暑表

3.根据科学研究，无论采用什么方法降温，温度也只能非常接近–273.15 °C (粗略地说是–273 °C)，但不可能比它更低。能不能以这个温度为零度来规定一种表示温度的方法呢？如果它每一度的大小与摄氏温度相同，那么这两种温度应该怎样换算？

4.不同物质在升高同样温度时它们膨胀的多少是不同的。如果把铜片和铁片铆在一起，当温度变化时这样的双金属片就会弯曲。怎样用它制成温度计？画出你的设计草图。

市场上有一种指针式寒暑表(图4.1–9)，就是用双金属片作感温元件的。到商店去看一看，有没有这样的寒暑表。

日光灯启辉器内也有这样的双金属片。轻轻打破启辉器的玻璃外壳，把 U形双金属片用火柴烤一烤，就可以看到它的形状发生变化。想一想，能不能用它制作一个自动控制温度的装置？

熔化和凝固

物态变化

热天，从冰柜中拿出的冰，一会儿变成了水，再过一段时间水干了，变成看不见的水蒸气，跑得无影无踪。随着温度的变化，物质会在固、液、气三种状态之间变化。通常是固态的铝、铜、铁等金属，在很高的温度时也会变成液态、气态；通常是气态的氧气、氮气、氢气等，在温度很低时也会变成液态、固态。物质从固态变成液态的过程叫做**熔化**(**melting**)，从液态变成固态的过程叫做**凝固**(**solidification**)。

探究

固体熔化时温度的变化规律

●提出问题

不同物质在由固态变成液态的熔化过程中，温度的变化规律相同吗？

●猜想和假设

熔化过程中一定要加热，所以物质一定要吸收热量。这时温度可能也是不断上升的。

!

严禁用酒精灯点燃另一个酒精灯；用完酒精灯必须用灯帽盖灭(不能用嘴吹)；万一洒出的酒精在桌上燃烧起来，不要惊慌，立刻用湿布扑盖。

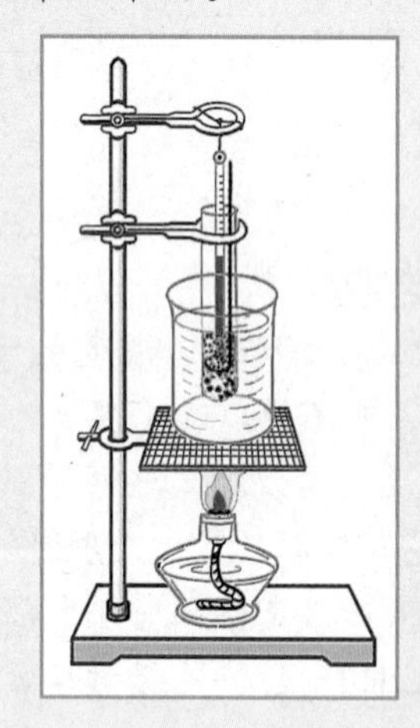

图4.2-1 观察熔化现象的实验装置

●设计实验和进行实验

研究蜡和海波(硫代硫酸钠)的熔化过程。

参照图4.2-1选择需要的实验器材。

将温度计插入试管后，待温度升至40 ℃左右时开始，每隔大约1 min记录一次温度；在海波或蜡完全熔化后再记录4～5次。

时间/min	0	1	2	3	4	5	…
海波的温度/℃							
蜡的温度/℃							

●分析和论证

图4.2-2和图4.2-3方格纸上的纵轴表示温度，温度的数值已经标出；横轴表示时间，请你自己写上。根据表中各个时刻的温度在方格纸上描点，然后将这些点用平滑曲线连接，便得到熔化时温度随时间变化的图象。

根据你对实验数据的整理和分析，总结海波和蜡在熔化前、熔化中和熔化后三个阶段的温度特点。

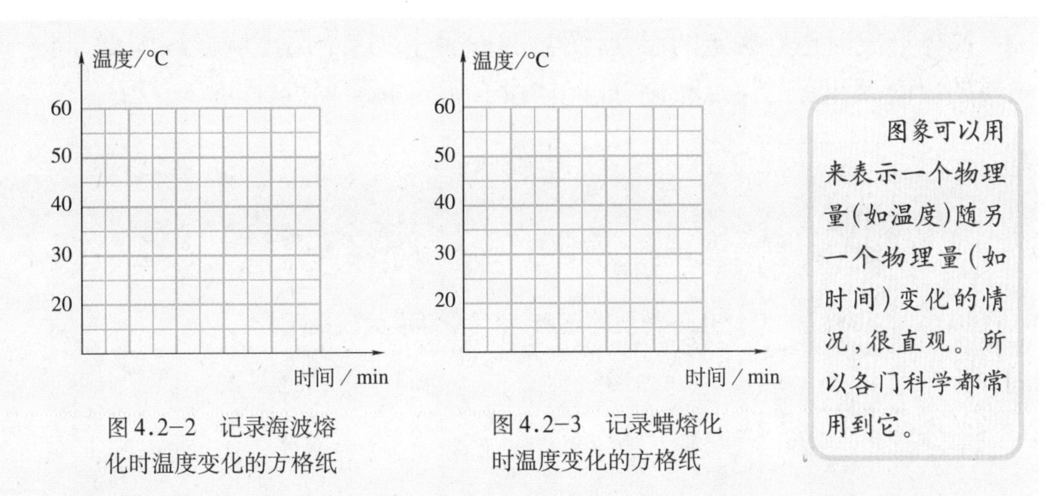

图 4.2–2　记录海波熔化时温度变化的方格纸

图 4.2–3　记录蜡熔化时温度变化的方格纸

图象可以用来表示一个物理量(如温度)随另一个物理量(如时间)变化的情况，很直观。所以各门科学都常用到它。

●评估

回想实验过程，有没有可能在什么地方发生错误？进行论证的根据充分吗？实验结果可靠吗？

●交流与合作

与同学进行交流。你们的结果和别的小组的结果是不是相同？如果不同，怎样解释？

写出实验报告。

熔点和凝固点

有些固体在熔化过程中尽管不断吸热，温度却保持不变，例如海波、冰、各种金属，这类固体有确定的熔化温度，叫做**晶体**(**crystal**)；有些固体在熔化过程中，只要不断地吸热，温度就不断地上升，没有固定的熔化温度，例如蜡、松香、玻璃、沥青，这类固体叫做**非晶体**(**noncrystal**)。晶体熔化时的温度叫做**熔点**(**melting point**)。非晶体没有确定的熔点。

晶体和非晶体熔化时温度的变化曲线分别如图4.2–4甲和图4.2–4乙所示。

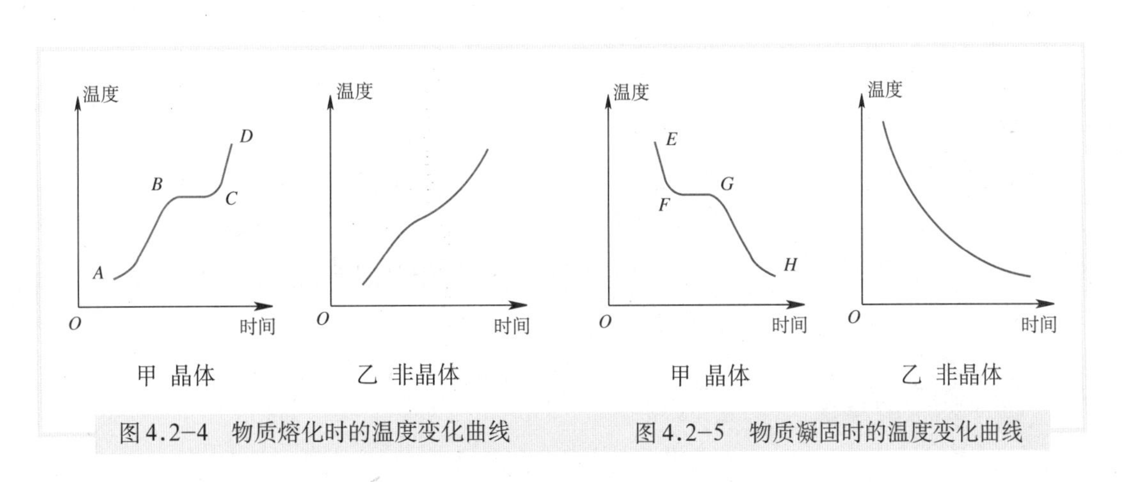

图 4.2–4　物质熔化时的温度变化曲线

图 4.2–5　物质凝固时的温度变化曲线

晶体形成时也有确定的温度(图4.2−5甲)，这个温度叫做凝固点。同一种物质的凝固点和它的熔点相同。非晶体没有确定的凝固点(图4.2−5乙)。

小资料

几种物质的熔点/°C(在标准大气压下)

钨	3 410	铝	660	固态水银	−39
铁	1 535	铅	328	固态甲苯	−95
钢	1 515	锡	232	固态酒精	−117
灰铸铁	1 177	萘	80.5	固态氮	−210
铜	1 083	海波	48	固态氧	−218
金	1 064	冰	0	固态氢	−259

想想议议

1.在图4.2−5甲中，*EF*、*FG*、*GH*各段分别表示温度怎样变化？物质处于什么状态？

2.黑龙江省北部最低气温曾经达到过−52.3 °C，这时还能使用水银温度计吗？应该使用什么样的液体温度计？

熔化吸热 凝固放热

晶体在熔化过程中虽然温度不变，但是必须继续加热，熔化过程才能完成，这表明晶体在熔化过程中要吸热。反过来，液体在凝固成晶体的过程中要放热，但是温度不变。非晶体在熔化或凝固过程中也要吸热或放热，但是温度在变化。

北方的冬天，菜窖里放几桶水，可以利用水结冰时放的热使窖内的温度不会太低，菜不致冻坏。

1. 有人说，融雪的天气有时比下雪时还冷，这种说法有道理吗？

2. 日常生活中有哪些利用熔化吸热、凝固放热的例子？什么情况下熔化吸热、凝固放热会给我们带来不利影响？怎样避免？

3. 图4.2－6是某种物质熔化时温度随时间变化的图象。根据图象的什么特征可以判断这种物质是一种晶体？它的熔点是多少？从晶体开始熔化到所有晶体完全熔化，大约持续了多长时间？

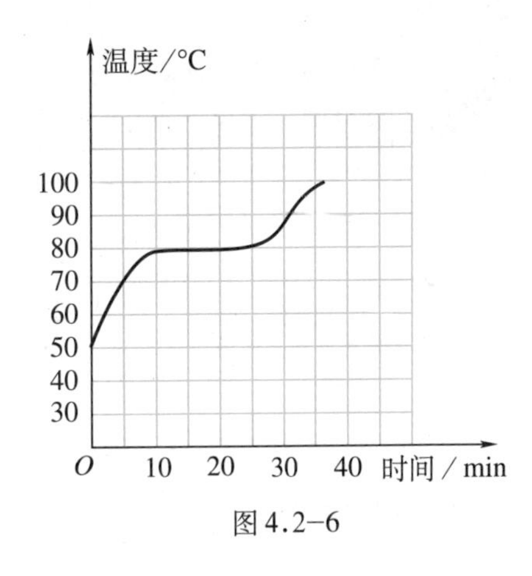

图4.2－6

4. 小明想从酒精和水混合液体中把酒精分离出来。他想，水的凝固点是0 °C，酒精的凝固点是－117 °C，只要把混合液体放入电冰箱的冷冻室(冷冻室温度可达－5 °C)中就可以了。于是他照此办理，但是经过相当长的时间后小明从冷冻室取出酒精和水的混合液体时却发现水和酒精并没有分离出来。

就这个现象你能提出的问题是____________________，针对你提出的问题能做出的合理猜想是____。

三　汽化和液化

晒在太阳下的湿衣服一会儿就干了，衣服上的水到哪里去了？

想想做做

如图4.3－1，在透明塑料袋中滴入几滴酒精，将袋挤瘪，排尽空气后用绳把口扎紧，然后放入80 °C以上的热水中。你会看到什么变化？

从热水中拿出塑料袋，过一会儿又有什么变化？
怎样解释这些变化？

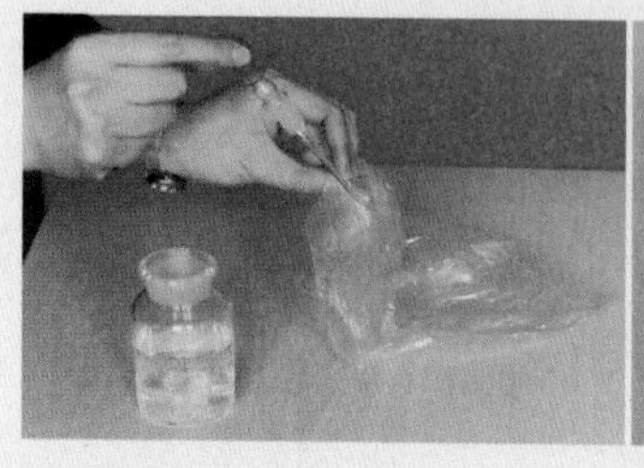
甲 在塑料袋中滴入酒精

乙 把袋挤瘪，把口扎紧

丙 放到热水里面

图4.3-1 观察塑料袋的变化

物质从液态变为气态叫做**汽化**(**vaporization**)，从气态变为液态叫做**液化**(**liquefaction**)。

沸腾

沸腾(**boiling**)是液体内部和表面同时发生的剧烈汽化现象。

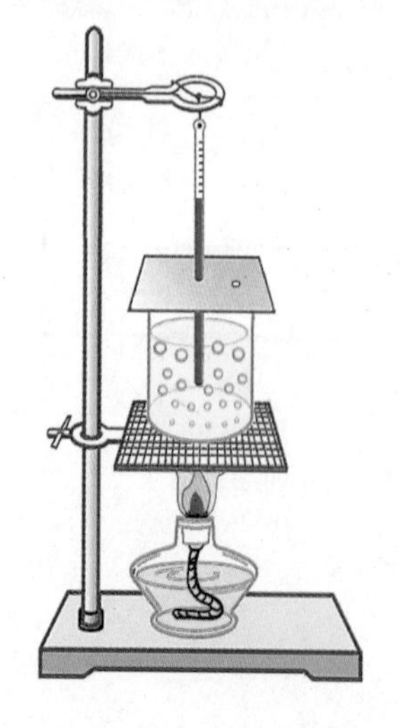
图4.3-2 观察水沸腾的装置

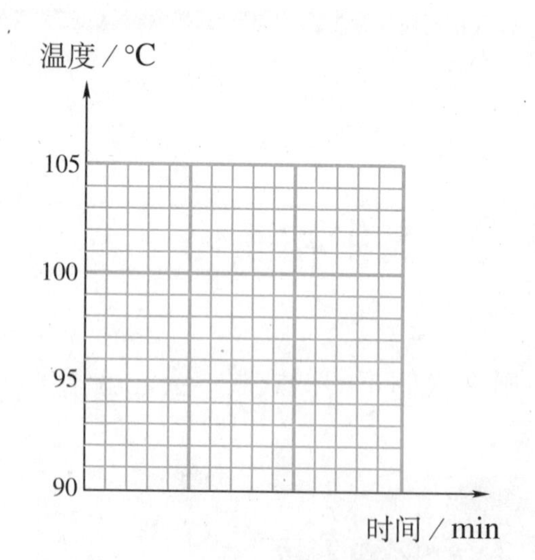

图4.3-3 记录水沸腾时温度变化的方格纸

探究

水的沸腾

●提出问题

你认真观察过水的沸腾吗？水在沸腾时有什么特征？

水沸腾后如果继续加热，是不是温度会越来越高？

●设计实验和进行实验

按图4.3-2安装实验仪器。

用酒精灯给水加热至沸腾。当水温接近90 °C时每隔1 min记录一次温度。仿照晶体的熔化曲线在图4.3-3上作出水沸腾时温度和时间关系的曲线。

时间/min	0	1	2	3	4	5	…
温度/°C							

●分析和论证

依照前面对熔化过程的探究，可以从这个实验得到什么结论？

水的沸腾是一种剧烈的汽化现象。这时大量气泡上升，变大，到水面破裂，里面的水蒸气散发到空气中。在沸腾的过程中，虽然水继续吸热，但只能不断地变成水蒸气，它的温度却保持不变。

各种液体沸腾时都有确定的温度，这个温度叫做**沸点**(**boiling point**)。不同液体的沸点不同。

小资料

几种液体的沸点/°C(在标准大气压下)

液体	沸点	液体	沸点	液体	沸点
液态铁	2 750	甲苯	111	液态氧	−183
液态铅	1 740	水	100	液态氮	−196
水银	357	酒精	78	液态氢	−253
亚麻仁油	287	液态氨	−33.4	液态氦	−268.9

科学世界

不烫手的“开水”

“开水”常常与“烫手”联系在一起，这是由于在通常情况下开水的温度高达100 °C，远比皮肤的温度高。

但是，当你在高山上烧水时，明明看到水沸腾了，却不一定烫手。在海拔3 km的高原，水的沸点为91 °C；在海拔6 km的山上，水的沸点为80 °C；而在海拔8 844.43 m的珠穆朗玛峰，水的沸点只有72 °C。在几万米的高空，水的沸点居然会低到11～18 °C，那里“开水”的温度，可能比地面上冷水的温度还要低。因此，在高山会出现许多怪现象：“开水”不烫手、鸡蛋煮不熟、开水不能消毒。

这是为什么？原来，水的沸点与大气压强①有关，气压越低，沸点也就越低。在图0.1–1中，把烧瓶从火焰上拿开以后，水的温度从100 °C降到九十几度，沸腾停止。但是，把冷水浇到烧瓶上，瓶内水蒸气液化成水，从而瓶内气压降低，这时的水在九十几度就能沸腾，于是我们又能在烧瓶中看到沸腾的水了。

按照同样的道理，在比地面低得多的矿井底部，大气压强比地面上大，我们可以得到更为烫手的开水。例如，在地下300 m深的矿井里，水的沸点达到101 °C；而在地下600 m的深处，水的沸点会达到102 °C！

纸锅烧水

听说过“着火点”这个词吗？着火点是物质用不着靠近火焰就能自己着火的温度。纸的着火点大约是183 °C，就是说，只要它的温度达到

① “大气压强”是描述大气对物体表面压力大小的物理量，越高的地方，大气压强越小。这一点，我们将在第十三章中学习。

183 °C，它就会自动燃烧起来。

知道火焰的温度吗？普通煤炉的火焰约600 °C。酒精灯的火焰温度大约400～500 °C。

那么，能用纸做的锅在火上把水烧开吗？

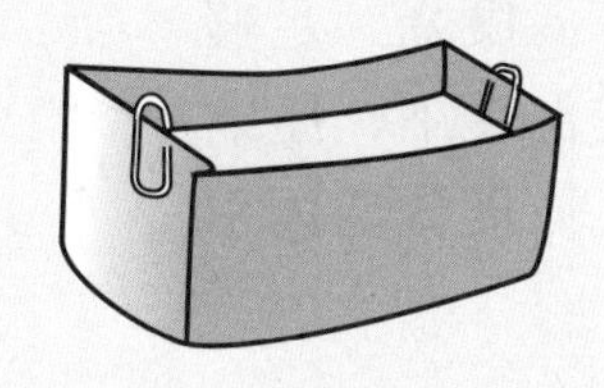

图4.3-4　烧开水用的小纸锅

取一张光滑的厚纸，照图4.3-4那样做成一个小纸锅。纸锅里装些水，放到火上加热。注意不要让火苗烧到水面以上的纸。过一会儿水就会沸腾，而纸锅不会燃烧。

实际做一做，并且说明纸锅为什么不会燃烧。

蒸发

盘子里的水、日光下的湿衣服，温度没有达到水的沸点也会变干。这种在任何温度下都能发生的汽化现象叫做**蒸发**(**evaporation**)。蒸发只发生在液体的表面。

蒸发和沸腾是汽化的两种方式。

蒸发致冷

1. 把酒精擦在手背上，手背有什么感觉？

2. 把酒精反复涂在温度计的玻璃泡上，用扇子扇，温度计读数有什么变化？如果温度计上不涂酒精，用扇子扇，温度计读数会变化吗？

液体在蒸发过程中吸热，致使液体和它依附的物体温度下降。

你能解释图4.3-5中的现象吗？

图4.3-5 你能解释这些现象吗？刚从水中出来，感觉特别冷；天热时，狗常把舌头伸出来。

液化

实验表明，所有气体在温度降到足够低时都可以液化。在一定的温度下，压缩体积也可以使气体液化。气体液化后体积缩小，便于储存和运输。

电冰箱

目前常用的电冰箱利用了一种叫做氟利昂的物质作为热的“搬运工”，把冰箱里的“热”“搬运”到冰箱的外面。氟利昂是一种既容易汽化又容易液化的物质。汽化时它吸热，就像搬运工把包裹扛上了肩；液化时它放热，就像搬运工把包裹卸了下来。

图4.3-6表示出了电冰箱的构造和原理。液态氟利昂经过一段很细的毛细管缓慢地进入冰箱内冷冻室的管子，在这里迅速汽化、吸热，使冰箱内温度降低。生成的蒸气又被电动压缩机抽走，压入冷凝器，再次液化并把从冰箱内带来的热通过冰箱壁上的管子放出。氟利昂这样循环流动，冰箱冷冻室里就可以保持相当低的温度。

在距地面20～50 km的高空有一层叫做臭氧的物质，它能大量吸收太阳辐射来的对生命有害的紫外线，是地球上的生物得以生存和进化的重要条件。由于电冰箱总有一天会损坏，其中的氟利昂最终将散到大气中，破坏臭氧层，对地球的生态环境构成威胁。为了保护人类生存的环境，1987年在世界范围内签署了限量生产和使用这类物质的《蒙特利尔议定书》。现在已经研制出氟利昂的代用品如R134a、环戊烷等。我国在1991年签署了《蒙特利尔议定书》，正在全面落实议定书中的条款。

读过这篇文章后你能回答下列问题吗？如果不会，可以与同学们讨

论，向老师、家长请教。

1.有个人发现自己新买的电冰箱背面时冷时热，入夏后更是热得厉害，他怀疑冰箱的质量有问题。你认为他的怀疑有道理吗？为什么？

2.下表中介绍的电冰箱会破坏臭氧层吗？

3.如果打算带着外包装把下表中介绍的电冰箱运到室内，屋子的门至少要多宽？拆掉外包装呢？

××××型电冰箱主要技术参数

气候类型	ST
总有效容积(L)	305
冷冻食品储藏室总有效容积(L)	70
总输入功率(W)	170
除霜功率(W)	140
冷冻能力(kg/24 h)	10
耗电量(kW·h/24 h)	1.6
防触电保护类型	I
电源(AC)	220 V/50 Hz
制冷剂	R134a，140 g
冷冻室星级	****
外型尺寸(mm)	599×702×1 653
外包装尺寸(mm)	654×799×1 768
重量(kg)	75

图 4.3-6 电冰箱原理图

1.根据蒸发致冷的道理，设计一个保存食物的方法或装置。

2.一块金属在冰箱中被冷冻后，取出放一会儿，可以发现变湿了。如果马上用干毛巾擦，能擦干吗？为什么？

3.根据水银、酒精的凝固点和沸点，说明使用这两种物质做测温物质的温度计适用的气温条件。

水银：沸点________°C，凝固点 ________°C

酒精：沸点________℃，凝固点________℃

	气温范围	水银温度计	酒精温度计
南极地区			
温带地区			
赤道地区			

4.吐鲁番是全国有名的火炉，常年高温少雨，水贵如油。当地流行使用坎儿井，大大减少了输水过程中水的蒸发和渗漏。坎儿井由明渠、暗渠、竖井组成。暗渠即地下水道，是坎儿井的主体，宽约1.2 m。井的深度因地势和地下水位高低不同而有深有浅，一般是越靠近源头，竖井就越深，最深的井可达90 m以上，井内的水在夏季约比外界低5~10 ℃。请你分析一下“坎儿井”是如何减少水的蒸发的。

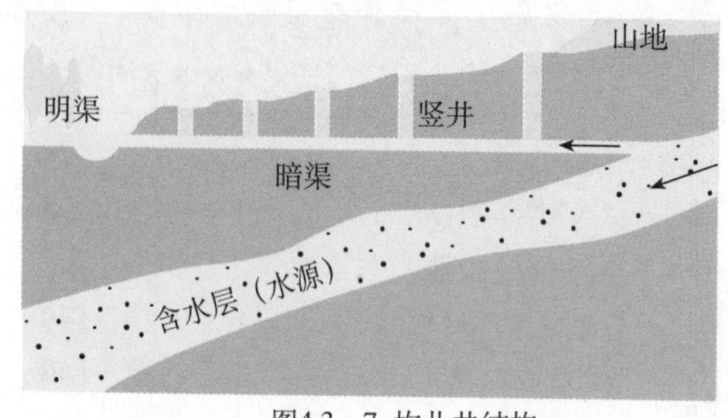

图4.3－7 坎儿井结构

四 升华和凝华

冰块吸热后熔化成水，再继续吸热就变成水蒸气，这是生活中常见的现象。物质吸热后能不能从固态直接变为气态呢？反过来，气态能不能直接变为固态呢？

想想做做

在试管中放少量碘，塞紧盖子后放入热水中。当固态的碘变为碘蒸气充满试管后，从热水中拿出，再放入凉水中，碘蒸气又会变为固态的碘。

物质从固态直接变成气态叫**升华**(**sublimation**)；从气态直接变成固态叫**凝华**。

衣柜里防虫用的樟脑片，过一段时间就会变小，最后不见了，这就是一种升华现象。北方秋、冬两季早晨出现霜，窗玻璃上出现冰花(图4.4－1)、树枝上出现“雾凇”，这些都是凝华现象。

像熔化和汽化一样，升华也需要吸热；像凝固和液化一样，凝华也会放热。

图4.4－1　水蒸气在寒冷的玻璃上凝华形成的花纹

想想议议

水的三种状态分别是水、冰和水蒸气。给图4.4－2填字，说明它们三者之间的转化过程以及吸热、放热的关系。

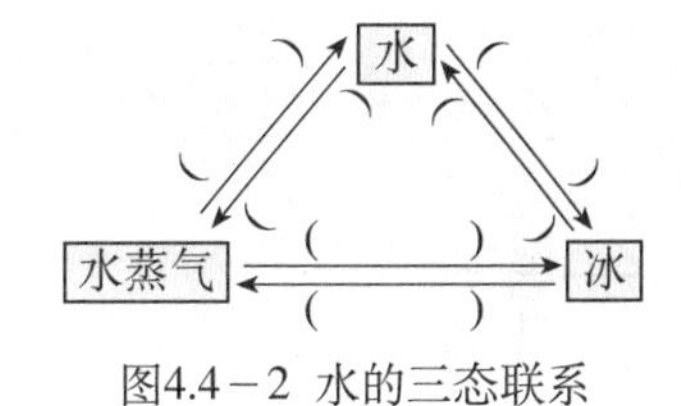

图4.4－2 水的三态联系

科学世界　大漠里的故事

2001年1月7日，《北京晚报》第12版“中国新闻”栏目刊登了下面的消息。推测一下，这可能是一种什么现象？

新疆罗布沙漠出现罕见气象令科考队专家瞠目

怪怪怪　大雪飘满天　瞬间就不见

气温一直在零下十四五度，天空没有阳光，雪化后沙土疏松干爽

新疆消息　近日在罗布沙漠中发生的奇怪的天气现象，令科考队中的专家不得其解。

从1月4日凌晨3时左右，罗布沙漠中开始下雪，直到第二天中午12时，科考队到达小河墓地前200米左右时，雪突然停了，沙丘上均匀地覆盖着约5到10厘米的积雪，茫茫无涯。

然而，过了20分钟左右，奇怪的事发生了：就在科考队手忙脚乱地从沙滩车上卸下器材设备，开始向小河墓地靠近的时候，发现脚下踩的不再是雪地，而是干爽的沙地。再远望四周，一眼望不到边的沙漠中哪有雪的影子？

……

科考队队长，中国科学院新疆生态与地理研究所的夏训诚研究员说：“这里是中国最干旱的地区，年降水量平均为13毫米，蒸发量高达4 000毫米……这雪怎么转眼间就没了？我还没有想清楚……”

1.问问父母，衣柜里的樟脑片能放多长时间？

2.冻肉出冷库后比进冷库时重，这是为什么？

3.通过书刊等各种资料了解雨、雪、云、雾、露、霜、冰雹的成因及它们和人类生活的关系，写出一篇科普短文。文章后面要注明知识的来源并在小组中交流、讨论。

水的故事

地球是一个大水球，表面的70％以上是海洋。由于地球上有水，于是有了生命。水是地球上分布最广的物质，是人类环境的重要组成部分。

地球上的水在不停地循环着。阳光晒暖了海洋，水变成水蒸气升到空中，形成暖湿气流。暖湿气流遇到冷空气后水蒸气液化成小水滴，变成雨。天空的降水落到地面，一部分直接变为小溪，另一部分渗入地下，涌出地表后变成股股清泉。许多小溪汇合，形成江河，又注入大海。

地表水中，海水占97％，江河湖泊、土壤、岩层和冰川中的水仅占3％。两极和高山的冰雪约占陆地水总量的$\frac{3}{4}$。动植物机体中也含有大量的水。例如，人体重的65％是水，黄瓜重量的95％是水。

有了水，生命才得以延续，人类才得以繁衍生息。现代科学证明，人每天至少要有2 000 mL的水才能维持生命，失水15～20％就产生脱水症状，断水7～10天，就将死亡。符合卫生要求的饮用水能保证人体健康，饮用被微生物或化学物质污染过的水要生病。因此，创造条件使得人人都能得到清洁安全的饮用水，一直是世界卫生组织努力的目标。

我国是严重缺水的国家，水资源人均占有量只是世界平均值的$\frac{1}{4}$，居世界第88位。而且，我国水资源的分布极不平衡，占全国耕地面积64％

的长江以北地区只占有全国18%的水资源，例如华北，人均占有量还不到全国平均水平的$\frac{1}{6}$。

但是，工农业生产必须用水。纺织厂、印染厂要用水，钢铁厂要用水来冷却，造纸厂也要用水做纸浆……农业生产更需要大量的水进行灌溉。此外，城市的消防、绿化、公共场所的清洁卫生都少不了水。

水是多么宝贵啊！

读过这篇文章之后，试着回答下面的问题或参加下面的活动。

1. 你也许注意过，天气预报中常说，“……向北移动的暖湿气流和来自××地区的冷空气前锋相遇，将在我国××至××之间形成一条东西方向的降雨带……”暖湿气流携带较多的水分，为什么不一定带来雨雪，而与冷空气相遇才会降水？如果你过去没有注意过这类说法，请你留心天气预报，看看还有什么地方用到了物态变化的知识。

2. 根据对自己家里用水状况的调查，设计一个节水方案。

3. 调查本地农田灌溉或城市绿化灌溉的主要方式。向技术人员了解先进的灌溉技术。

★ 在寒冷的季节，为什么冰面下的水不结冰？

★

★

功勋卓著的电与磁

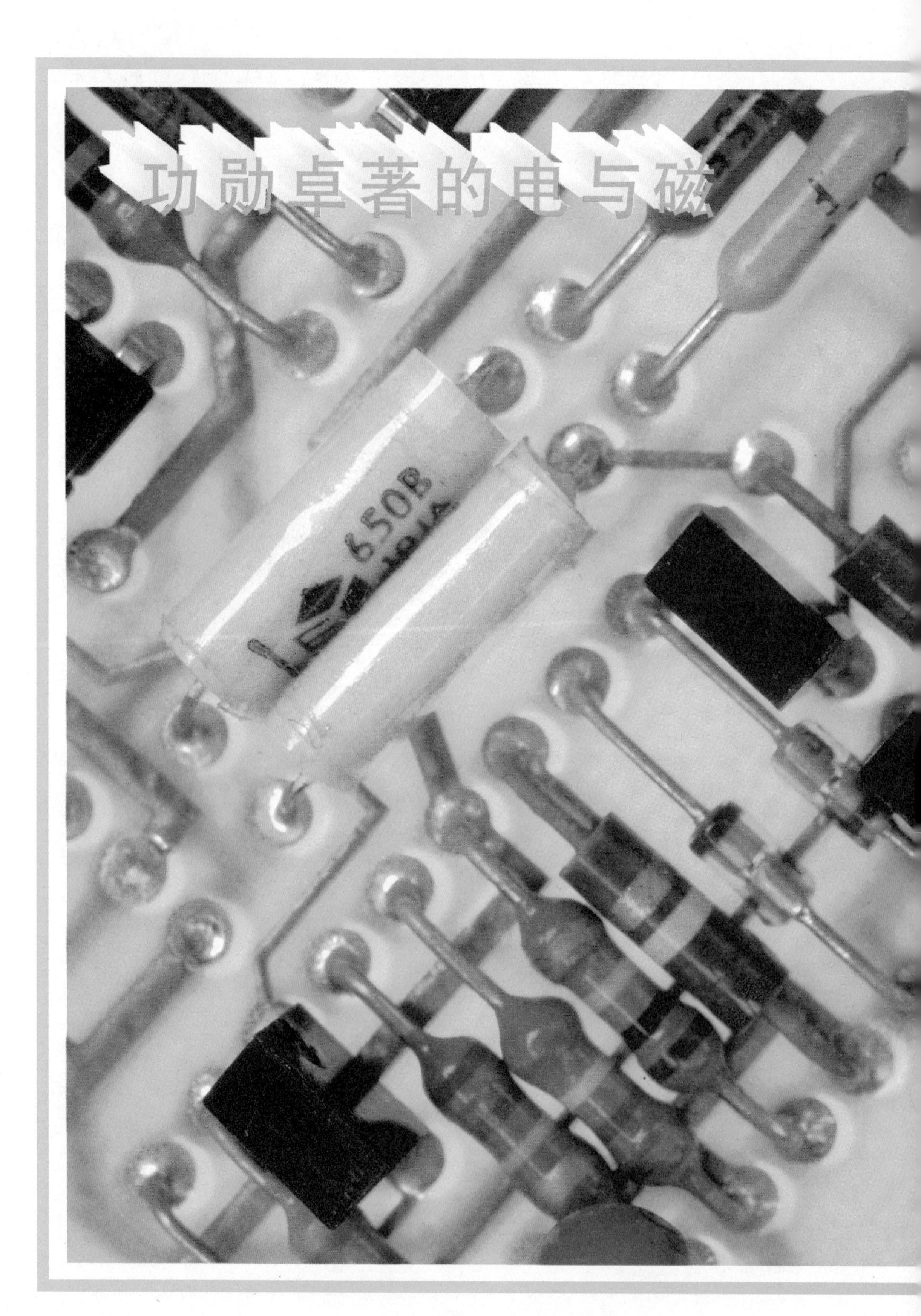

第五章
电流和电路

你也许注意过，在电器修理部里，展现在我们面前的是让人眼花缭乱的电路板……

也许你会感到它很神秘。为什么收音机通上电就能放出音乐？为什么电视机通上电就能看到影像？为什么电饭锅通上电就能煮熟米饭？为什么洗衣机通上电就能转动……

实际上，这些看似复杂的东西都是由最简单的电路组合而成的，让我们走进这个世界看一看，试一试吧！

阅读指导

学过本章以后，你就会明白以下问题。

一、电荷

什么是元电荷？电荷能够移动吗？

二、电流和电路

电路是由哪几部分组成的？

三、串联和并联

用电器有哪两种不同的连法？

四、电流的强弱

怎样表示电流的强弱？怎样测量电流的强弱？

五、探究串、并联电路的电流规律

串、并联电路中各点的电流各有什么关系？

印刷电路板。绝缘板上的一条条铜箔把这些元件连接起来，组成复杂的电路。

一 电荷

电荷

在干燥的天气里，用塑料梳子梳头发时头发会随着梳子飘起，灰尘常被吸附在衣服表面。与头发摩擦过的塑料尺、塑料笔杆，能吸引碎纸屑(图5.1－1)。我们说，这些现象中的梳子、头发、衣服、塑料尺都带上了“电”，或者说带了**电荷(electric charge)**。

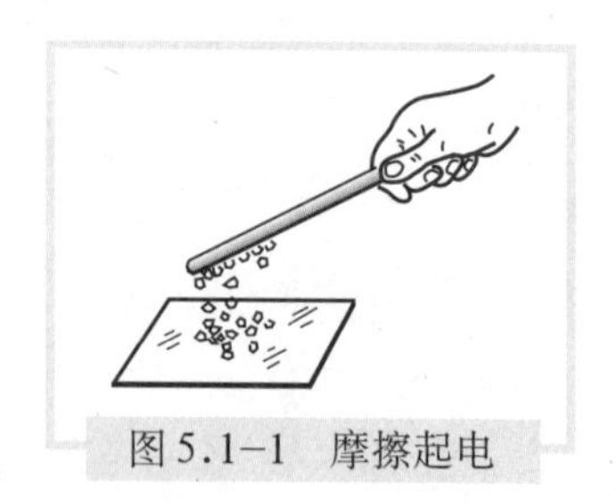
图 5.1－1 摩擦起电

摩擦过的物体具有吸引轻小物体的现象，就是**摩擦起电**现象。

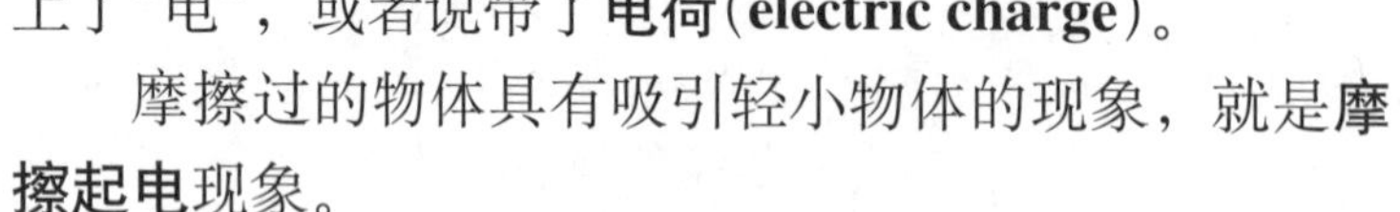

演示 电荷间的相互作用

玻璃棒跟丝绸摩擦，橡胶棒跟毛皮摩擦，都可以带电。如图5.1－2所示，使玻璃棒带电，分别靠近带电的另一根玻璃棒和橡胶棒。

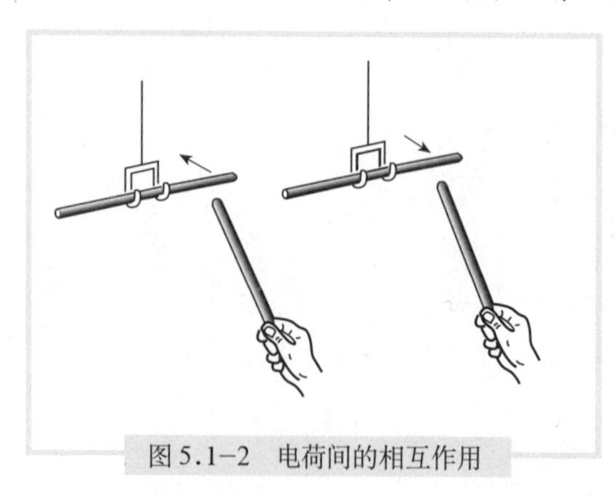
图 5.1－2 电荷间的相互作用

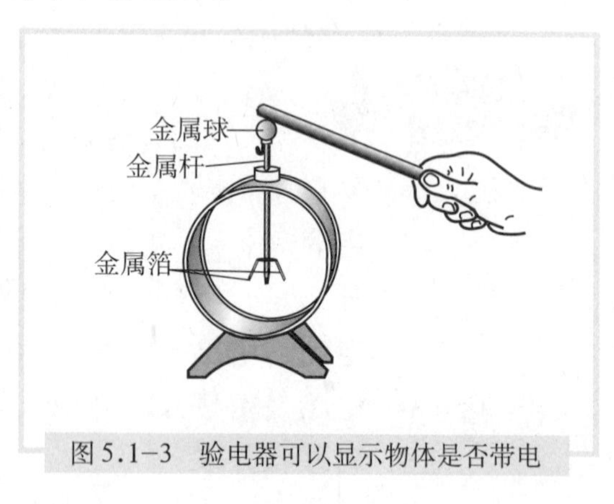

图 5.1－3 验电器可以显示物体是否带电

大量的事实使人们认识到：**自然界只有两种电荷**。被丝绸摩擦过的玻璃棒带的电荷叫做**正电荷(positive charge)**；被毛皮摩擦过的橡胶棒上带的电荷叫做**负电荷(negative charge)**。

同种电荷互相排斥，异种电荷互相吸引。

实验室里常用验电器来检验物体是否带电。用带电体接触验电器的金属球，就有一部分电荷转移到验电器的两片金属箔上，这两片金属箔带同种电荷，由于互相排斥而张开(图5.1–3)。从验电器张角的大小，可以判断所带电荷的多少。

电荷的多少叫做**电荷量**，简称**电荷**。电荷的单位是**库仑**，简称**库**，符号是C。一根摩擦过的玻璃棒或橡胶棒所带的电荷，大约只有10^{-7} C。一片雷雨云带电的电荷，大约有几十库仑。

原子的结构　元电荷

经过科学家世世代代的研究，现在已经知道，物质是由分子、原子组成的。分子、原子很小，把1亿个氧原子一个挨一个地排成一行，也只有几厘米长。这么小的微粒，不仅用肉眼不能直接看到，就是在一般显微镜下也看不到。因此19世纪前，人们一直以为原子是不能再分的最小微粒。

1897年，英国科学家汤姆孙(1856—1940)发现了比原子小得多的带负电的粒子——电子(**electron**)，揭开了原子具有结构的秘密。

原子由原子核和电子组成。原子核位于原子的中心，比原子小得多。原子核的半径大约只有原子半径的十万分之一。如果把原子比作一个直径为100 m的大球，原子核只相当于一颗绿豆大小。

原子核带正电，电子带负电。电子绕核运动。

在各种带电微粒中，电子电荷量的大小是最小的。人们把最小电荷叫做**元电荷**，常用符号e表示。

$$e=1.6\times10^{-19}\ \mathrm{C}$$

任何带电体所带电荷都是e的整数倍。

在通常情况下，原子核所带的正电荷与核外所有电子总共带的负电荷在数量上相等，整个原子呈中性，也就是原子对外不显带电的性质。

氢原子的结构最简单，原子核的电荷量等于1个元电荷，核外只有1个电子。氧原子核的电荷量等于8个元电荷，核外有8个电子(图5.1–4)。

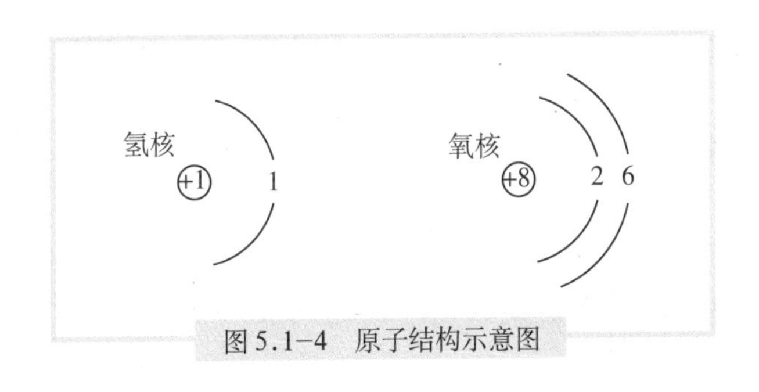

图5.1–4　原子结构示意图

电荷在导体中定向移动

演示

取两个相同的验电器A和B，使A带电，B不带电（图5.1–5甲）。用金属棒把A和B连接起来，可以看到A的金属箔张开的角度减小，B的金属箔张开（图5.1–5乙）。

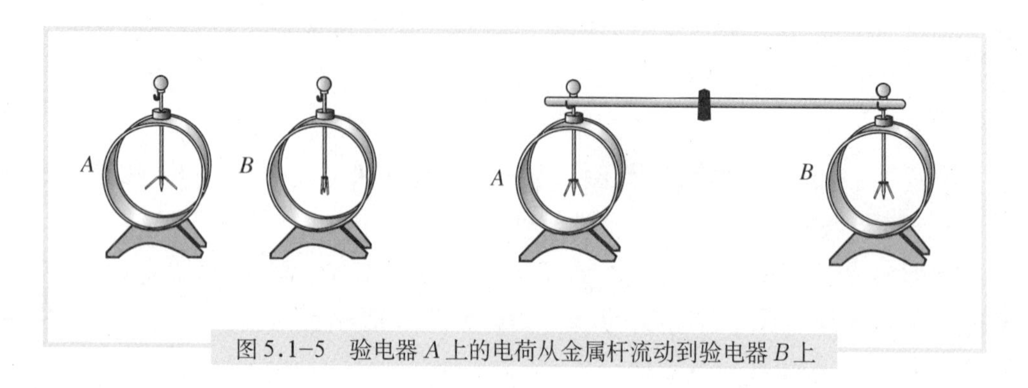

图5.1–5 验电器A上的电荷从金属杆流动到验电器B上

实验现象说明，有电荷通过金属杆从验电器A流动到B，使验电器B也带了电。也就是说金属杆上有了电荷的定向移动。

电荷在金属杆中可以定向移动，金属是导电的。有的物体善于导电，叫做**导体**(**conductor**)。金属、人体、食盐水溶液等都是导体。有的物体不善于导电，叫做**绝缘体**(**insulator**)。橡胶、玻璃、塑料等都是绝缘体。

在金属中，部分电子可以脱离原子核的束缚，而在金属内部自由移动，这种电子叫做自由电子。金属导电，靠的就是自由电子。

1. 摩擦起电现象是怎样产生的？根据所学的知识，做出你的猜想。

2. 把一个带电的碎纸片靠近用丝绸摩擦过的玻璃棒时，它们互相排斥。这个纸片带什么电荷？

3. 金属锡的原子核带有50个元电荷，它的原子核外带有多少个电子？这些电子总共带多少库仑的电荷？为什么金属锡对外不显电性？

二　电流和电路

想想做做

> ！任何情况下都不能把电池的两端直接连在一起！

器材：小灯泡、小电动机、音乐门铃各一个，一个开关、两节电池（带电池盒）和一些导线。

要求：先后三次连接电路，分别使灯泡亮、电机转、门铃发声。灯泡、电机、门铃要受开关的控制。

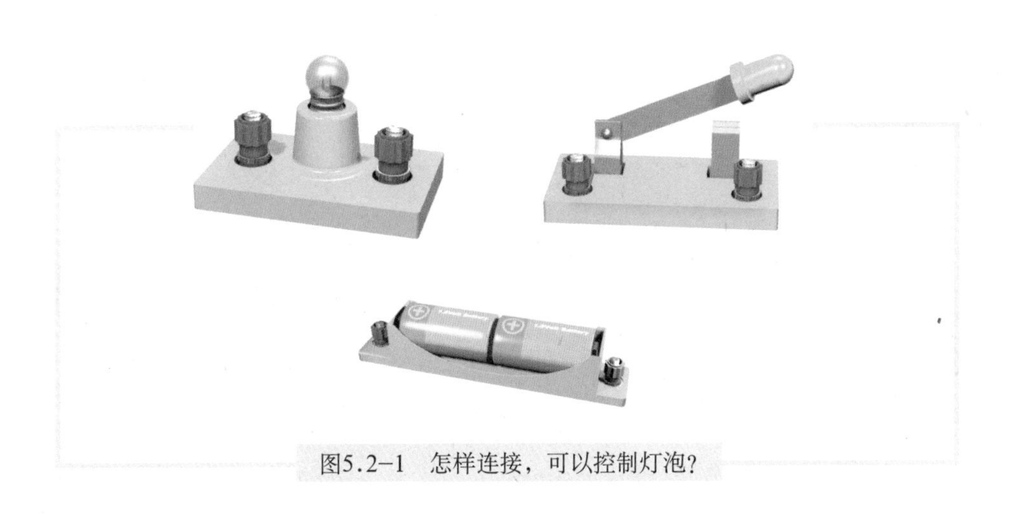

图5.2-1　怎样连接，可以控制灯泡？

电流

闭合电路的开关，灯泡亮了，因为电流流过了灯泡。

导线、灯泡的灯丝，都是金属做的。金属里面有大量自由电子，它们可以自由移动。平时它们运动的方向杂乱无章，可是接上电池之后，它们就受到了推动力，出现了定向移动，于是形成了电流。

电路中有电流时，发生定向移动的电荷可能是正电荷，也可能是负电荷，还可能是正负电荷同时向相反方向发生定向移动。在19世纪初，物理学家刚刚

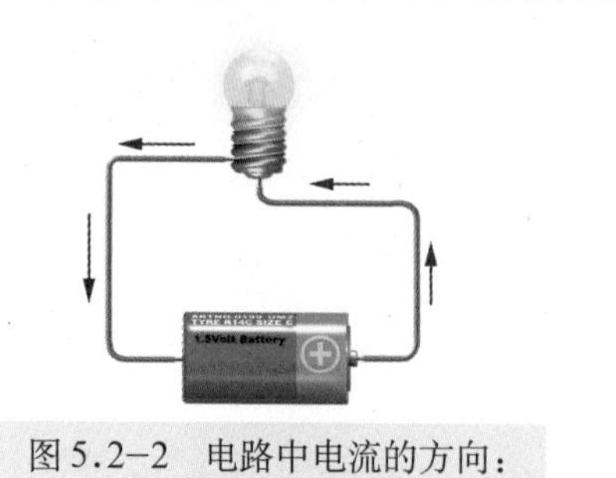

图 5.2–2 电路中电流的方向：正极 ⟶ 用电器 ⟶ 负极

开始研究电流时，并不清楚在各种情况下究竟是什么电荷在移动，当时就把**正电荷移动的方向规定为电流的方向**。

按照这个规定，当电路闭合时，在电源外部，电流的方向是从电源正极经过用电器流向负极。

小资料

二极管

对于灯泡来说，电流在灯丝中无论沿什么方向流动，都能发光。但是有一种叫做半导体二极管的电子元件，电流只能从它的一端流向另一端，不能反向流动。有一种二极管，电流流过的时候能够发光，叫做发光二极管。电视机、收录机等许多家用电器上的指示灯都是发光二极管，有些城市道路上的红绿灯用的也是发光二极管。

图 5.2–3 各种二极管

电路的构成

电池、发电机都是**电源**(power supply)，灯泡、电动机、门铃都是**用电器**。电源、用电器，再加上导线，往往还有**开关**，就组成了**电路**(electric circuit)。

图 5.2–4 各种电池

只有电路闭合时，电路中才有电流。

电池(图5.2–4)能够维持小灯泡中的电流，所以电池是一种电源。发电机也是一种常见的电源，家庭电路中的电流就是靠远方电厂中的发电机来维持的。

电池和发电机等电源在电路中是提供电能的装置，而像电灯和电风扇等用电器是消耗电能的装置。

实验室常用的电源

1.干电池

干电池是日常生活中使用最多的直流电源。它是一种化学电池，其内部结构如图5.2–5所示。正常工作的干电池中，化学物质进行化学反应，不断地把正电荷运送到干电池的正极(有金属帽的一端)。

电池报废后，里面的化学物质会污染环境，因此不要随便抛弃废电池，而要把它们送到集中回收的地方。

金属帽
密封塑料
糊状电解质
去极化混合物
碳电极(正极)
锌筒(负极)

图5.2–5　干电池的内部结构

2.学生电源

学校的实验室里经常用学生电源代替电池，这样就能用电网供应的电能进行实验，可以降低费用。电网上的电压很高，是220 V(伏特)，做实验有危险，学生电源把它降到2 V、4 V、6 V等；电池的电流总是从正极通过用电器流向负极，而电网供应的电流的方向在不断变化(1s内发生50次往复变化！)，学生电源可以把它改变成单向的电流。我们做实验的时候把学生电源看做电池就行了。

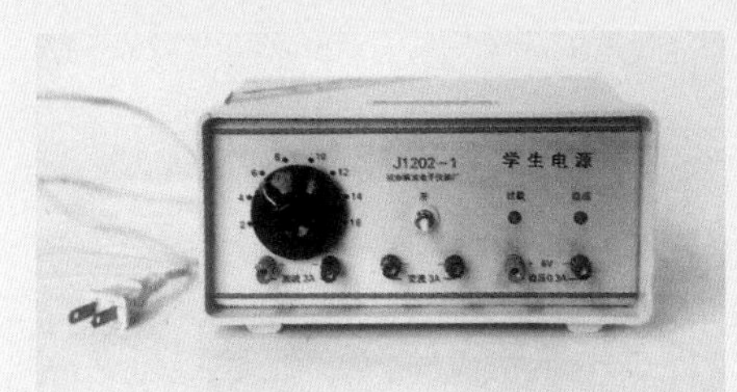

图5.2–6　学生电源

电路图

画图时如果把电池、电灯等物体原样画出来，既麻烦又不清楚，所以我们常用符号代表它们，这样画出来的就是**电路图**(图5.2–7乙)。图5.2–8是几种常用元件及其符号。

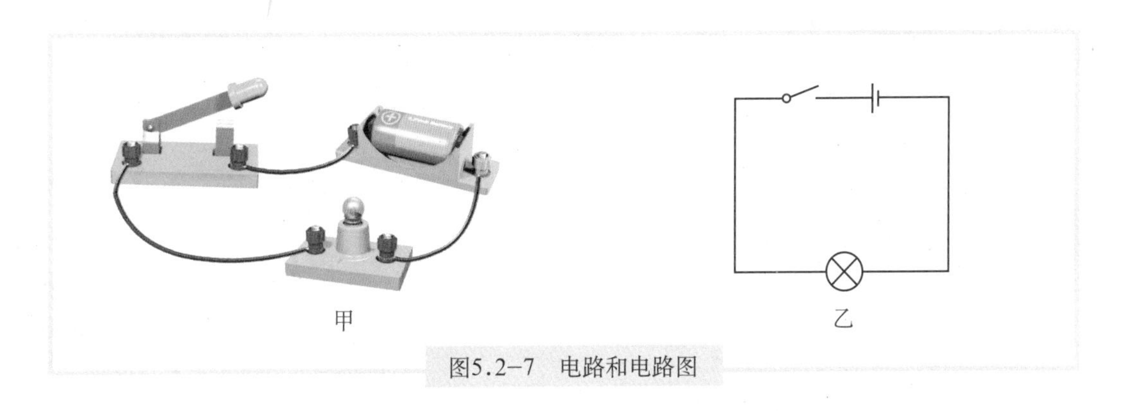

图5.2–7　电路和电路图

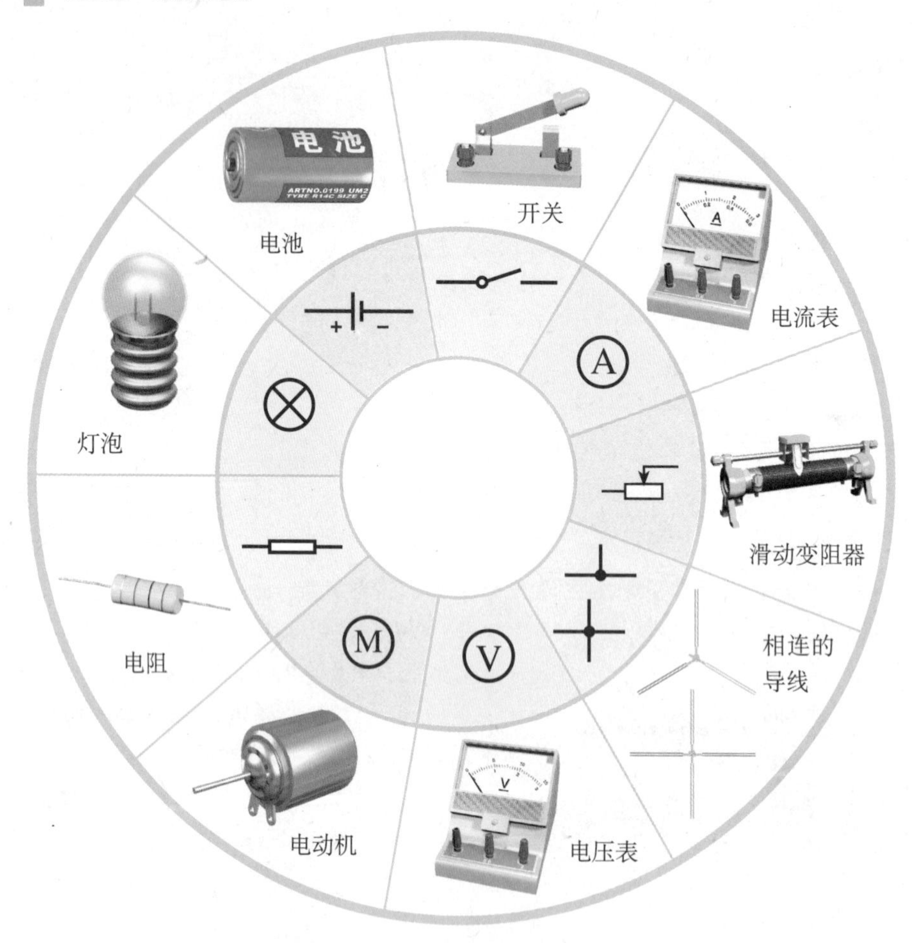

图 5.2-8 几种常用的元件及其符号

想想议议

下面图甲画的是某人连接的电路。小电动机能转吗？在图乙中连接正确的电路并画出电路图和电流方向。

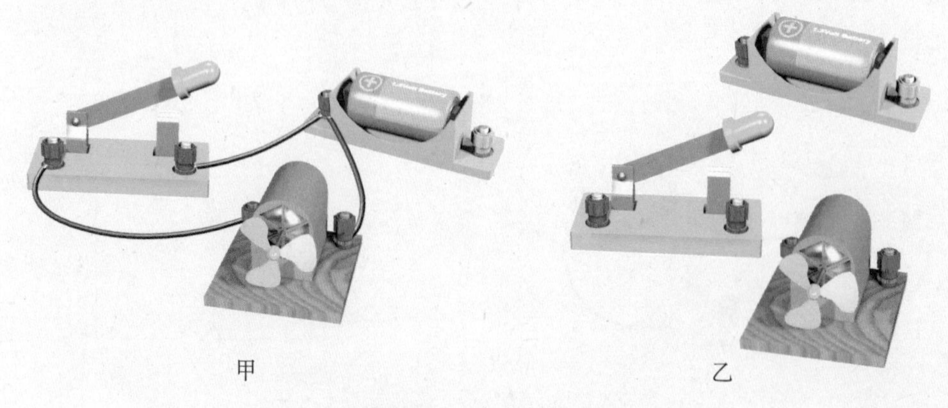

图 5.2-9 电动机能转吗？

1. 图5.2–10甲是玩具电风扇的电路图，请在图乙中连接它的电路。

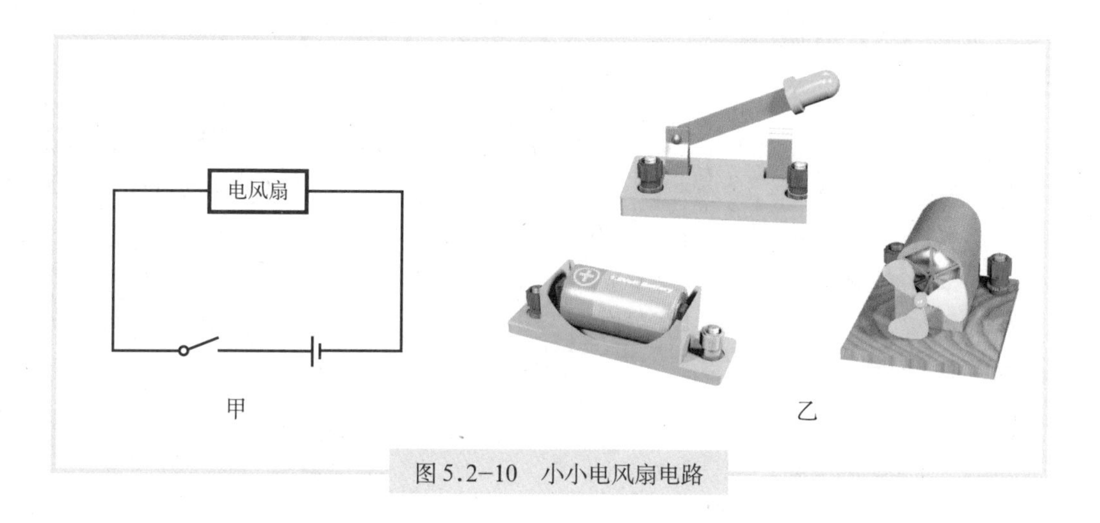

图5.2–10　小小电风扇电路

2. 在图5.2–11中连接电子门铃的电路，并画出它的电路图。电子门铃可以用“—[电子门铃]—”这样的符号代表。

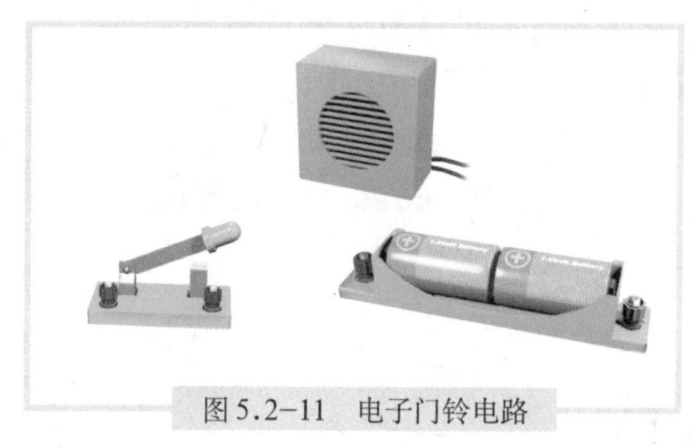

图5.2–11　电子门铃电路

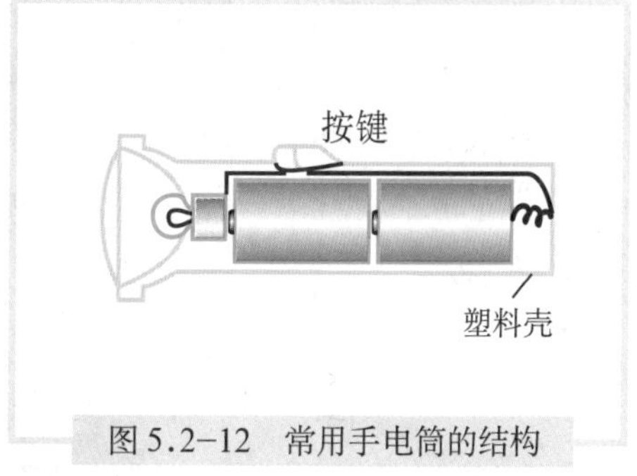

图5.2–12　常用手电筒的结构

3. 图5.2–12是常用手电筒的剖面图，观察它的结构。按下按钮时，电路是怎样接通的？画出它的电路图。

4. 你是怎样根据实物画电路图的？有什么经验？与同学交流一下。全班总结根据实物图画电路图的经验。

三 串联和并联

有一个电源和两个灯泡，要使两个灯泡同时发光，有几种接法？

是不是可以使电流同时流入两个灯泡，流出灯泡后再汇合？还有什么别的接法？

先画出电路图，和同学们讨论一下，是不是正确。

最后试着连接电路。

> ！任何情况下都不允许不经过用电器而把电源的两端直接连在一起！

串联和并联

电路里如果有两个或者更多的用电器，它们可以有不同的接法。

像图5.3–1那样，两个小灯泡首尾相连，然后接到电路中，我们说这两个灯泡是**串联**(**series connection**)的；像图5.3–2那样，两个小灯泡的两端分别连在一起，然后接到电路中，我们说这两个灯泡是**并联**(**parallel connection**)的。

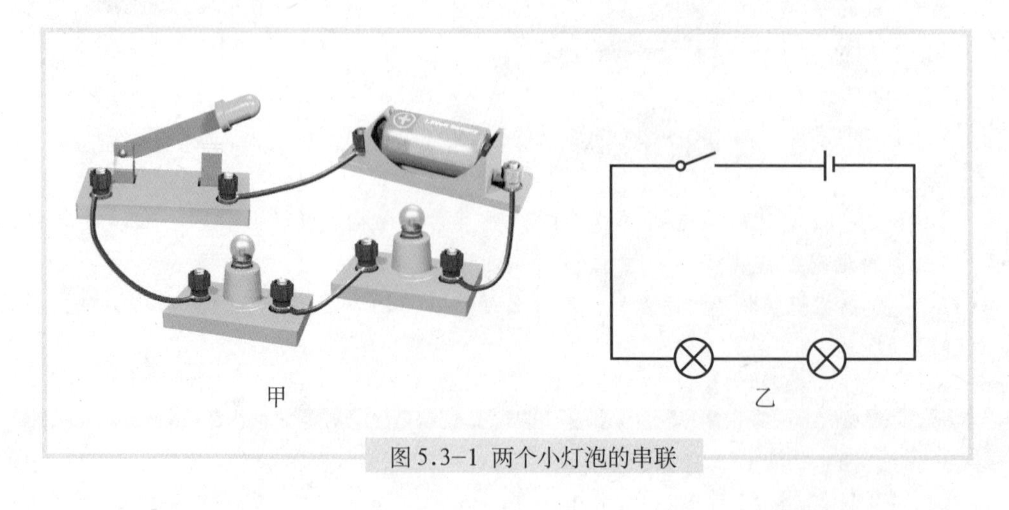

图5.3–1 两个小灯泡的串联

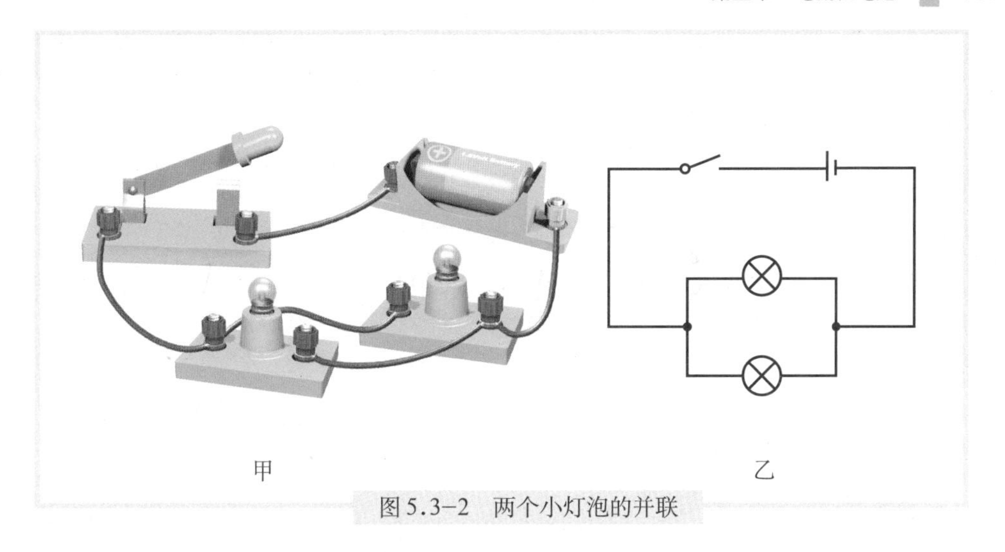

图 5.3-2　两个小灯泡的并联

生活中的电路

串联电路和并联电路是最基本的电路，在实际生活中应用得非常广泛。用来装饰店堂、居室、烘托欢乐气氛的彩色小灯泡，有些就是串联的。节日的夜晚，装点天安门等高大建筑物上的成千只灯泡，却常常是并联的。家庭中的电灯、电吹风、电冰箱、电视机、电脑等用电器大多是并联在电路中的。

图 5.3-3　街上有形形色色的灯。看一看、想一想、问一问，这些灯是怎样连接的？

想想议议

串联电路和并联电路中，电流是如何流动的？你能在图5.3－1乙、图5.3－2乙中画出电路闭合时电流的方向吗？

科学世界

生 物 电

不但在输电线路中有电流，生物体内也有电流。例如，人体心脏的跳动就是由电流来控制的。在人的胸部和四肢连上电极，就可以在仪器上看到控制心脏跳动的电流随时间变化的曲线，这就是通常说的心电图。通过心电图可以了解心脏的工作是否正常。

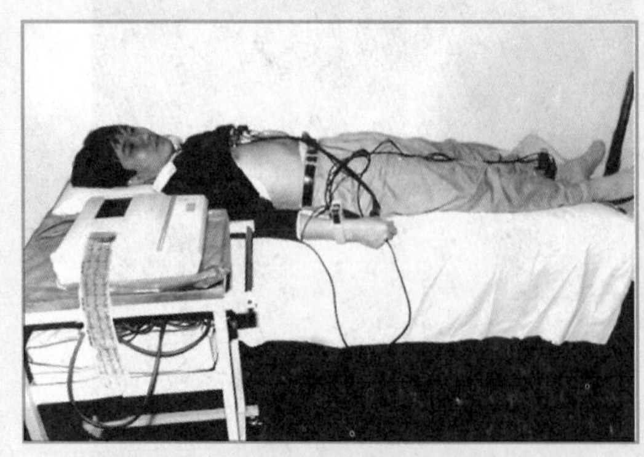

甲 做心电图

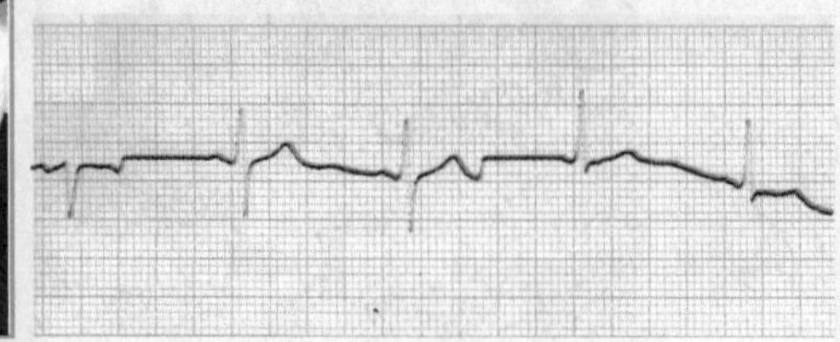

乙 正常心电图

图5.3–4 心电图

1.如图5.3–5，要用一个开关同时控制两个灯泡，应该怎样连接电路？有几种接法？如果要用两个开关分别控制两个灯泡(图5.3–6)，又该怎样连接？

先画出电路图，和同学们讨论，认为可行之后在实物图上连线，再次确认后连电路，检验你的设计。

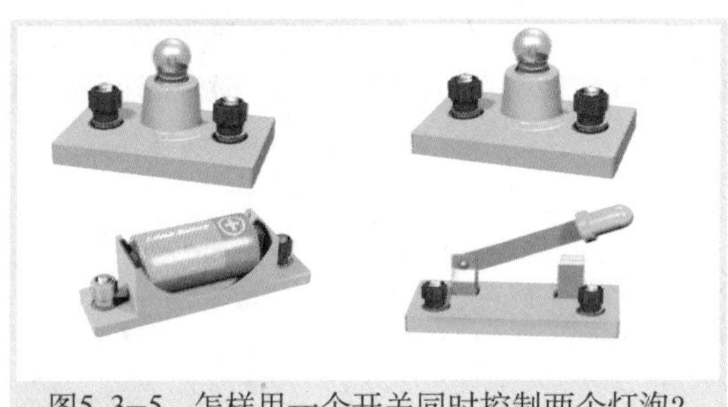
图5.3–5　怎样用一个开关同时控制两个灯泡？

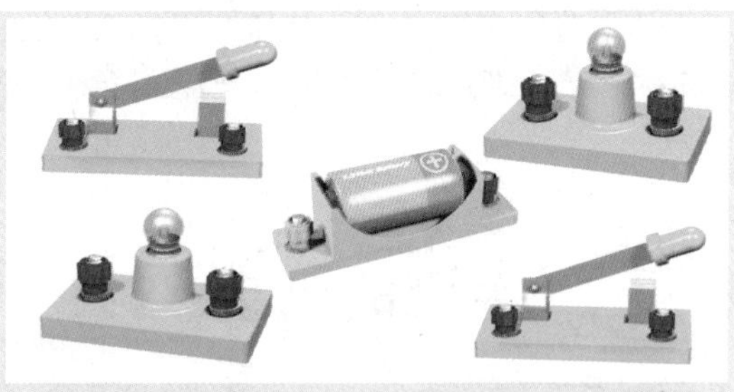
图5.3–6　怎样用两个开关分别控制两个灯泡？

2.按照图5.3–7甲的电路图，把图5.3–7乙中所示的实物连接起来，并用彩笔在电路图上把电流的方向画出来。

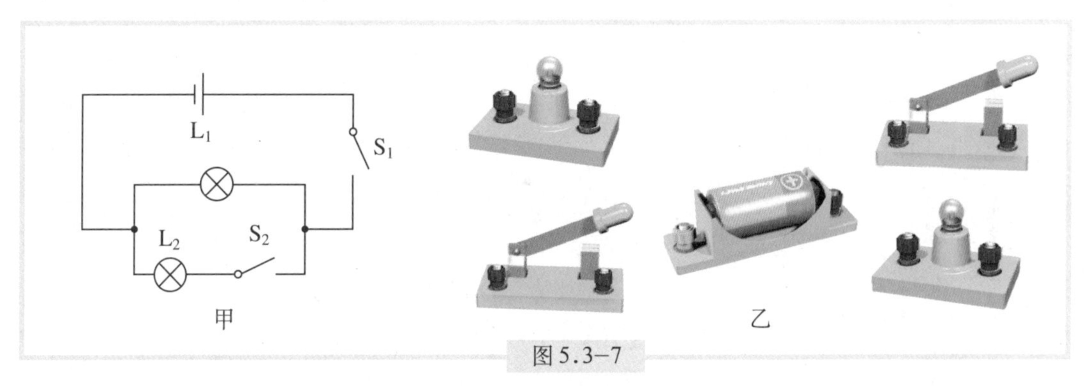

图5.3–7

3.某家庭电路可简化成图5.3–8所示的情况，用电器中哪些采用了串联接法，哪些采用了并联接法？

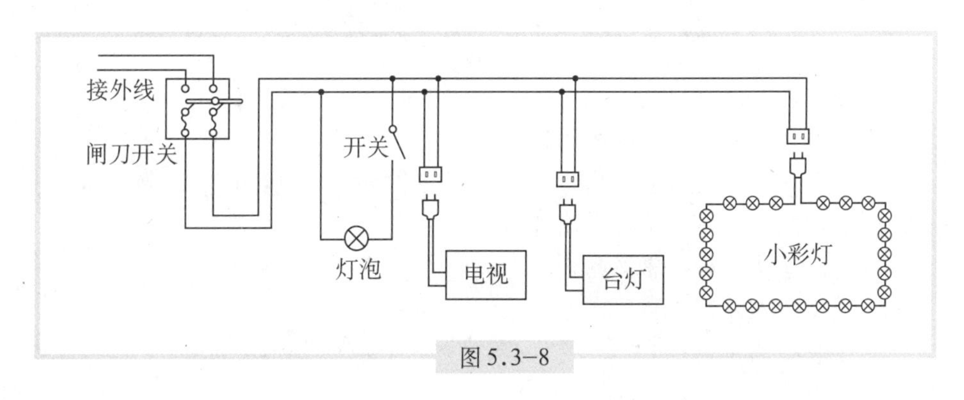

图5.3–8

4.许多家用电器的开关旁都有指示灯，是利用发光二极管来显示电源的通断。指示灯与用电器的工作电路是串联的还是并联的？

5.居民楼的楼道里，夜间只是偶尔有人经过，电灯总是亮着会浪费电。但是，如果有人夜晚出来，没有灯又很不方便。现有一种自动控制的楼道灯，当有人走动发出声音时，电路接通，灯亮；经过一两分钟后，内部的延时装置就把电路断开，灯灭。不过，只有夜晚天黑之后灯才能亮，白天，不论发出多大的声音，电灯也会“无动于衷”。这是因为在控制开关中装有“声敏”、“光敏”电阻。

“声敏”和“光敏”的自动装置都是比较复杂的（实际使用时它们装在同一个盒子里），我们不妨分别用—[声]—和—[光]—这样两个符号代表它们。大家讨论一下，怎样连接电路，可以实现上面的功能？试着画出电路图。

四 电流的强弱

怎样表示电流的强弱

流过手电筒的电流和流过汽车前灯的电流，强弱是不一样的。**电流**（**electric current**）就是表示电流强弱的物理量，通常用字母 I 代表，它的单位是**安培**（**ampere**），简称**安**，符号是 A。

有些设备中，电流很小，这时我们常用一个比较小的电流单位——**毫安**（mA），它等于千分之一安培：

$$1\ \text{mA} = 10^{-3}\ \text{A}$$

还有一个更小的电流单位——**微安**（μA），它等于千分之一毫安，或者说等于百万分之一安培：

$$1\ \mu\text{A} = 10^{-6}\ \text{A}$$

维持电子表液晶显示器的工作，只需几微安的电流。

小资料

常见的电流

计算器中电源的电流	约	100 μA
半导体收音机电源的电流	约	50 mA
手电筒中的电流	约	200 mA
房间灯泡中的电流	约	0.2 A
家用电冰箱的电流	约	1 A
家用空调器的电流	约	5 A
雷电电流	可达	2×10^5 A

怎样连接电流表

电路中的电流可以用电流表测量。

图5.4−1是学生实验中常用的一种电流表。这种电流表有下面几个特点。

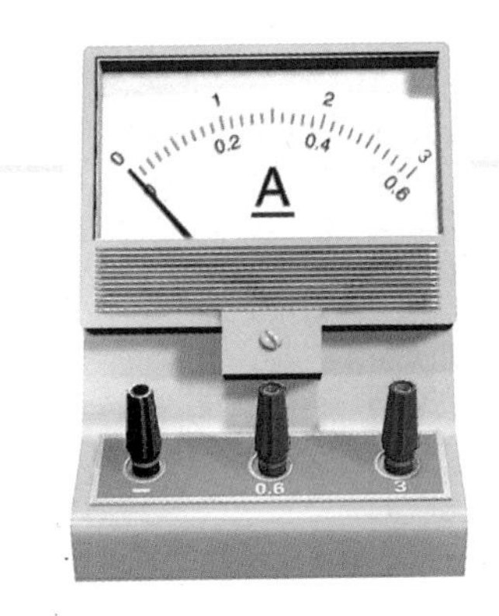

图5.4−1　实验中常用的电流表

第一，电流必须从红色接线柱(或标着“+”号的接线柱)流进去，从黑色接线柱(或标着“−”号的接线柱)流出来。如果表中电流的方向相反，表针就会向左边偏转，这样不但无法读数，有时候还会损坏电表。

第二，中间的接线柱标着“0.6”的字样，右边的接线柱标着“3”的字样。如果把标着“0.6”的接线柱和左边的黑色接线柱(或标着“−”号的接线柱)接到电路中，表针指到最右端线时流过的电流是0.6 A；如果把标着“3”的接线柱和左边的黑色接线柱(或标着“−”号的接线柱)接到电路中，表针指到最右端线时流过的电流是3 A。

第三，电流表必须和被测的用电器串联。如果误将电流表和被测用电器并联，那么，电流表指示的不是流过用电器的电流，而且很容易损坏电流表。

> ！任何情况下都不能使电流表直接连到电源的两极！

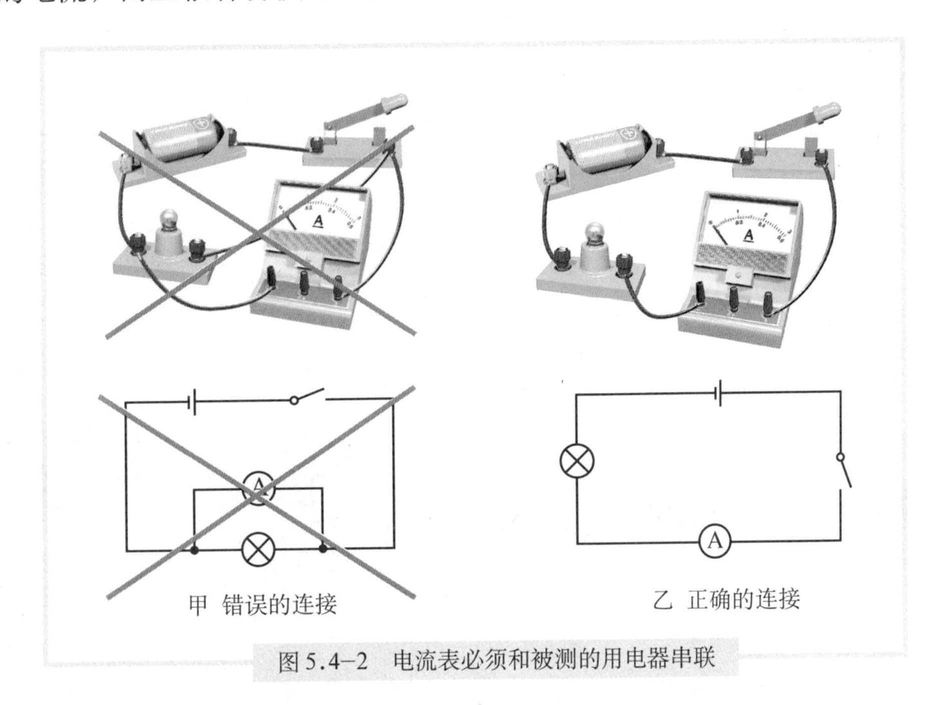

甲　错误的连接　　乙　正确的连接

图5.4−2　电流表必须和被测的用电器串联

怎样在电流表上读数

电流表的指针向右偏得越多，表示流过它的电流越大。但是，电流的大小到底是多少呢？可以按照下面的步骤进行读数。

（1）明确电流表的量程，即可以测量的最大电流，也就是说，表针指到最右端线时电流是0.6 A还是3 A。

（2）确定电流表分度值，即表盘的一个小格代表多大的电流。例如，如果电流表的量程是3 A，表盘上从0到最右端共有30个小格，那么每个小格就代表0.1 A。

（3）接通电路后，看看表针向右总共偏过了多少个小格，这样就能知道电流是多少了。

测量电流时，如果电流表的指针没有正好指在某个刻度线上，应该怎样读数？

1. 流过某手电筒小灯泡的电流大约是0.25 A，等于多少毫安？某半导体收音机电池的供电电流最大可达120 mA，等于多少安培？

2. 连接下面的实物图，使小灯泡能够发光并且电流表能够测出流过灯泡的电流(估计为0.1～0.3 A)。

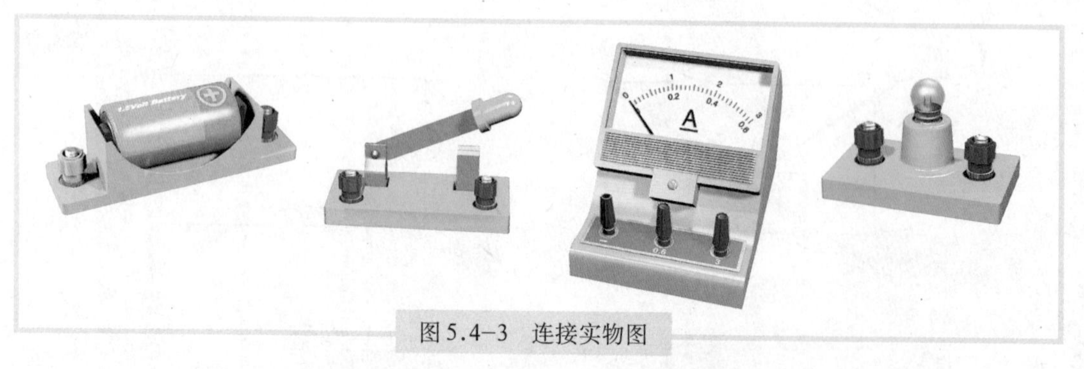

图5.4–3 连接实物图

3. 下面图中电流表的读数各是多少？

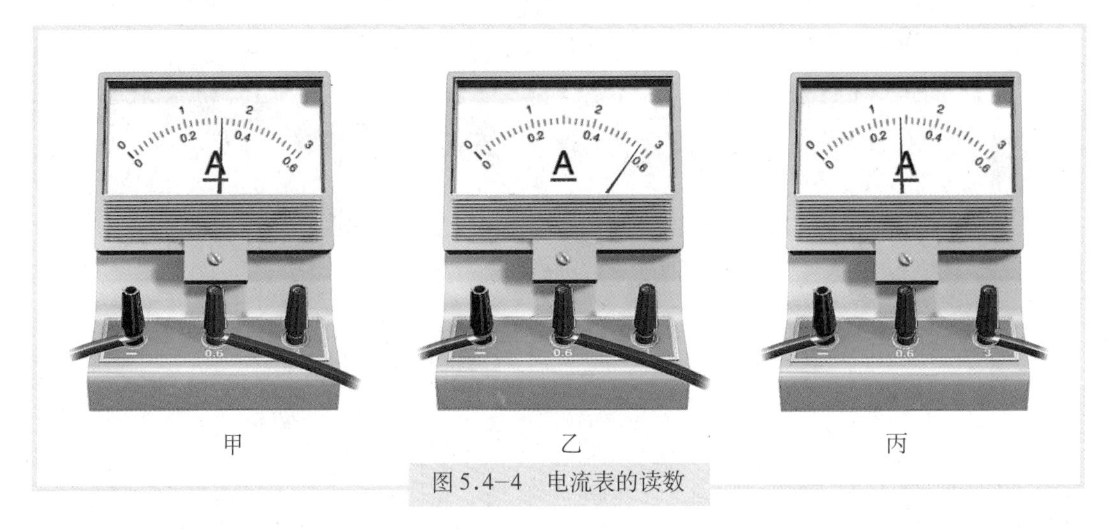

图5.4-4　电流表的读数

五　探究串、并联电路的电流规律

探究

串联电路中各点的电流有什么关系

在图5.5-1中，两个灯泡L_1、L_2是串联起来接到电源上的。流过A、B、C各点的电流之间可能有什么关系？作出猜测。

分三次把电流表接入，分别测量流过A、B、C各点的电流。你的猜测正确吗？

通过这个实验，你能不能回答：串联电路中各点的电流之间有什么关系？

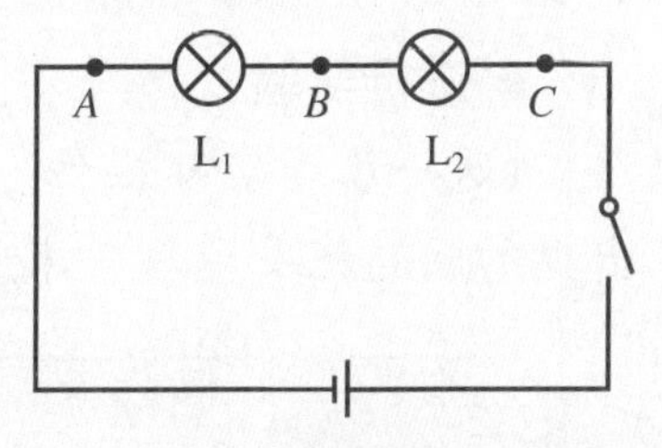

图5.5-1　串联电路中的电流

通过前面几次探究活动，你已经熟悉科学探究的几个要素了。在这次探究活动中，有些步骤要你自己写出来。

● 提出问题

串联电路中各点的电流之间有什么关系？

● 猜想或假设

（猜测上面科学问题的可能的答案，写在下面。）

● 设计实验

分别把图5.5-1中A、B、C各点断开，把电流表接入，测量流过的电流，看看它们之间有什么关系。换上另外两个小灯泡，再次测量三点的电流，看看是否还有同样的关系。

下面分别是测量A、B、C三点电流的电路图。

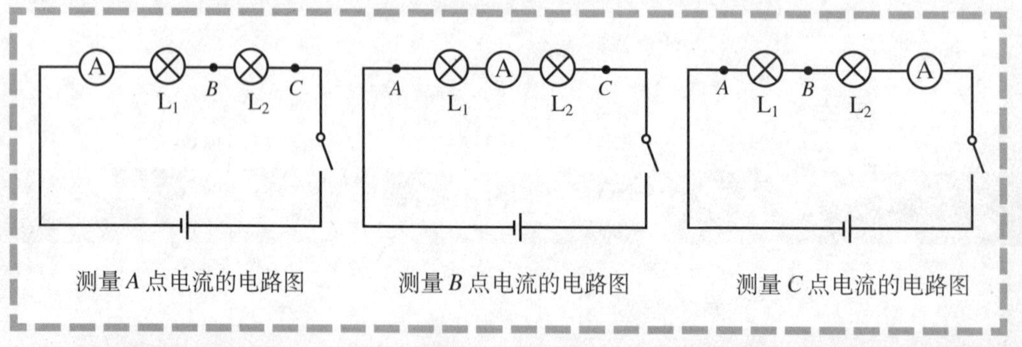

● 进行实验

（这一步是实际操作。把测量数据记在下面表中，还可以把操作中出现的问题扼要地写下来。）

	A点的电流I_A	B点的电流I_B	C点的电流I_C
第一次测量			
第二次测量			

分析和论证

（测量结果说明了什么？得出了什么结论？）

结论：

评估

（实验设计有没有不合理的地方？操作中有没有什么失误？测量结果是不是可靠？）

交流

（把你的探究过程及结论告诉同学和老师，或者把这个探究记录给他们看，征求他们的意见。既要改正自己的错误与不足，又要为自己的正确观点和做法辩护。把交流的情况简要记在这里。）

探究

并联电路中干路电流与各支路电流有什么关系

在图5.5-2中，两个灯泡是并联起来接到电源上的。流过A 、B 、C 各点的电流可能有什么关系？作出猜测。

先用电流表测量C点的电流，再用电流表分别测量A、B两点的电流。你的猜测正确吗？

通过这个实验，你能不能回答：并联电路中干路的电流(流过C点的电流)和各支路的电流(流过A、B点的电流)之间有什么关系？

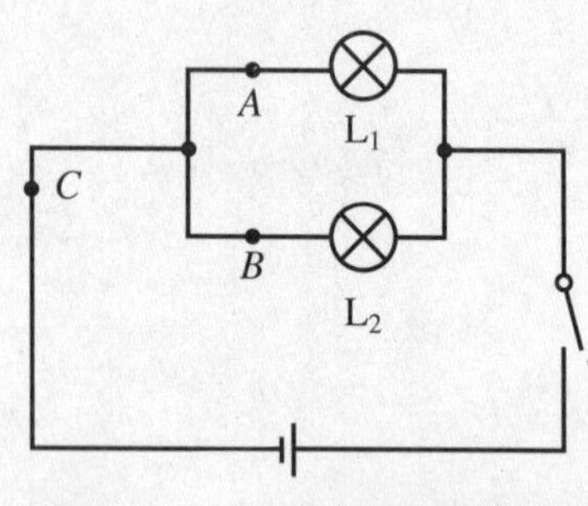

图5.5-2 并联电路中的电流

- **提出问题**

- **猜想或假设**

- **设计实验**

分别把电路中A 、B 、C 各点断开，把电流表接入，测量流过的电流，看看它们之间有什么关系。换上另外两个小灯泡，再次测量三点的电流，看看是否还有同样的关系。

下面分别是测量A、B、C三点电流的电路图。

测量A点电流的电路图　　测量B点电流的电路图　　测量C点电流的电路图

● 进行实验

	A点的电流I_A	B点的电流I_B	C点的电流I_C
第一次测量			
第二次测量			

● 分析和论证

结论：

● 评估

● 交流

★ 打雷时，云层中的电是从哪里来的？

★

★

索 引

（名词后面的数字是它第一次出现的页码）

A
安培 110
凹透镜 60
B
并联 106
C
超声波 20
串联 106
次声波 20
D
导体 100
电流 110
电路 102
电路图 91
电源 102
电子 99
F
反射 38
反射定律 40
负电荷 98
非晶体 83
沸点 87
沸腾 86
分贝 25
G
光谱 54
光线 35
光心 60
H
毫安 110
赫兹 20
红外线 54
J
焦点 61
焦距 61
介质 14
晶体 83
绝缘体 100
N
凝固 81
P
频率 19
Q
汽化 86
R
熔点 83
熔化 81
S
色散 51
升华 92
声 12
声波 15
实像 64
T
透镜 60
凸透镜 60
W
微安 110
温度计 76
物理学 4
X
响度 21
像 42
虚像 44
Y
液化 86
音调 19
音色 22
用电器 102
Z
噪声 25
折射 47
振动 13
振幅 22
正电荷 98
蒸发 89
紫外线 55

谨向为本书提供照片的人士致谢

0.1–7朱京／0.1–9朱京／0.1–10朱京／0.1–11张颖／第一章章首图Chris Harvey／1.1–1上左朱京，上右、下左、下右Corel Corporation／1.1–2龙泰出版社／1.1–3科学照片图书馆／1.1–4朱京／1.1–5 Corel Corporation／1.2–4张颖／1.3–3朱京／1.3–4朱京／1.3–7张颖／1.4–1朱京／1.4–2朱京／1.4–4朱京，中 洪宗辉，右Corel Corporation／1.5–4 Howard Sochurek／1.5–5朱京／第一章章尾图 回音壁 北京出版社／第二章章首图 中国图片库／2.1–1甲Corel Corporation，乙Kathie Atkinson，丙Charles Seaborn／2.1–2甲 ZEFA Picture Library，乙 朱京，丙 Ken Karp／2.1–5朱京/2.1–7 NASA科学照片图书馆／2.2–1 Editions Belin/2.3–4朱京／2.5–4张大昌／2.4–1 M. Chapelet／2.4–8张颖/2.5–4张大昌/2.6–2 R. Clark／2.6–3朱京／第三章章首图《中学科技》编辑部／3.1–3王得敏/3.2–2张颖／3.2–3凤凰光学股份有限公司／3.2–6张颖／3.2–7张颖/3.5–5乙 付荣兴/第四章章首图中国图片库／4.1–5朱京／4.1–6张颖／4.3–1张颖／4.4–1 张大昌／第五章章首图Corel Corporation／5.2–4张颖／5.2–6朱京／5.2–3朱京／5.3–3朱京／5.3–4刘云丽

后 记

我们在根据教育部制定的各科《全日制义务教育物理课程标准(实验稿)》编写义务教育课程标准实验教科书时，得到了许多教育界前辈和各学科的专家学者的帮助和支持。在本册教科书终于和课程改革实验区的学生见面时，我们特别感谢担任这套教材总顾问的丁石孙、许嘉璐、叶至善、顾明远、吕型伟、梁衡、金冲及、白春礼，感谢担任编写指导委员会主任委员的柳斌和编写指导委员会委员的江蓝生、李吉林、杨焕明、顾泠沅、袁行霈，感谢担任学科顾问的阎金铎、董振邦，并在此感谢对这套教材提出修改意见、提供过帮助和支持的所有专家、学者和教师。

课 程 教 材 研 究 所

物理课程教材研究开发中心